LE PLACARD

Catalogage avant publication de Bibliothèque et Archives nationales du Québec et Bibliothèque et Archives Canada

Messier, Kim, 1977-

Le placard

(Tabou ; 11)
Pour les jeunes de 14 ans et plus.

ISBN 978-2-89662-174-3

I. Titre. II. Collection: Tabou ; 11.

PS8626.E757P52 2012   jC843'.6   C2012-941080-2
PS9626.E757P52 2012

Édition
Les Éditions de Mortagne
Case postale 116
Boucherville (Québec)
J4B 5E6

Tél. : 450 641-2387
Téléc. : 450 655-6092
Courriel : info@editionsdemortagne.com

Dépôt légal
Bibliothèque et Archives Canada
Bibliothèque et Archives nationales du Québec
Bibliothèque Nationale de France
3ᵉ trimestre 2012

ISBN : 978-2-89662-174-3
1 2 3 4 5 – 12 – 16 15 14 13 12

Imprimé au Canada

Nous reconnaissons l'aide financière du gouvernement du Canada par l'entremise du Fonds du livre du Canada (FLC) et celle du gouvernement du Québec par l'entremise de la Société de développement des entreprises culturelles (SODEC) pour nos activités d'édition. Gouvernement du Québec – Programme de crédit d'impôt pour l'édition de livres – Gestion SODEC.

Membre de l'Association nationale des éditeurs de livres (ANEL)

Kim Messier

LE PLACARD

ÉDITIONS DE MORTAGNE

Remerciements

Aux Éditions de Mortagne : MERCI ! Vous me permettez de réaliser mon rêve. Grâce à vous, j'espère faire une différence.

À l'homme de ma vie, François Laramée, que j'aime plus que tout, gardien de mon trésor : mes enfants, Jade et Mani.

À Colette et Roland, pour leur aide et leur soutien. Je vous adore !

À Lyne Laliberté, pour tes conseils hyper précieux.

À Bruno et Geneviève, mes fidèles lecteurs et critiques. Sans vous, mon récit ne serait pas le même.

À Line Chamberland, pour avoir accepté de rédiger ma postface. Je suis honorée...

À Priska Poirier. Deux rencontres décisives grâce à tes paroles : « Lance-toi ! » et « Envoie-le. »

À Élodie Ferland-Martel et Emma Brossard, votre amour transparaît magnifiquement.

À Tommy Fafard pour son implication dans mon site Web mobile.

À mes collègues de travail pour vos encouragements.

Au Presse Café de Granby. Des sourires qui font chaud au cœur. Un endroit pour créer.

À ma mère, Manon Beauregard. Je vis notre rêve, maman... Je pense à toi, où que tu sois, et je t'aime fort.

Sommaire

« Aimer une âme, une personnalité, un individu, un être humain afin de lutter contre les classes sexuelles. »

Kim Messier

Partie 1

REFOULEMENT

CHAPITRE 1

Julie

Assise à côté de mon père, je dévorais mon gâteau quand ma mère a déposé une enveloppe et une immense boîte près de mon assiette. Je me suis étouffée en voyant la taille de mon cadeau ! En chœur, mes parents ont chanté le traditionnel *Bonne fête*. Fébrile, j'ai déchiré l'enveloppe et lu la carte.

Sur le dessus, il y avait un haltère et un conseil :

« *Ne force pas trop le jour de tes douze ans !* »

À l'intérieur, une feuille blanche : MON abonnement au centre de conditionnement physique. Celui où ma mère s'entraînait depuis des années.

Surexcitée, le papier entre les mains, je me suis jetée sur elle pour la serrer dans mes bras. Je savais qu'elle avait eu cette idée. Sûrement parce qu'elle était fatiguée de supporter mes supplications pour l'accompagner là-bas... J'avais l'impression de rêver.

Quand j'ai desserré mon étreinte, elle s'est raclé la gorge :

– Philippe ?! On pourrait en profiter pour s'entraîner en famille. C'est encore le temps de t'inscrire !

– Mél..., tu le sais que j'aime mieux marcher, bougonna mon père.

– Bien oui, marmonna-t-elle, sans insister.

Le visage crispé, ma mère m'a rappelé que j'avais un cadeau à ouvrir. Le sourire fendu jusqu'aux oreilles, j'ai déchiré le papier d'emballage, ouvert la boîte et aperçu un sac d'entraînement bleu marin.

– YÉ ! criai-je.

– Ouvre-le, chérie, me pressa mon père, visiblement aussi excité que moi.

En fouillant dans le sac, tremblante, j'ai découvert des vêtements sport neufs, une serviette blanche et une paire de souliers noirs, striés de rose. Je rayonnais de bonheur !

– Range tout dans ton sac, Léa, on va s'entraîner ! me suggéra ma mère, les yeux souriants.

– Déjà ! ? m'écriai-je.

– Oui !

À la vitesse de l'éclair, j'ai enfilé mon manteau, mes bottes de pluie et embrassé mon père, qui s'était, comme d'habitude, écrasé devant la télévision. Heureuse, je suis montée dans la voiture et nous nous sommes dirigées vers le centre de musculation. Cette année-là, j'ignorais complètement que ces séances allaient changer ma vie !...

Quand je suis entrée au gym, une odeur de sueur a envahi mes narines. Je les ai immédiatement bouchées. Lorsqu'elle m'a vue réagir ainsi, le sourire de ma mère a disparu.

– Léa ! Enlève ta main de ton nez ! m'indiqua-t-elle en se dirigeant vers le comptoir.

J'ai obéi en la suivant. Au loin, des hommes rugissaient et des haltères s'entrechoquaient. Comme ma mère discutait avec le responsable de l'endroit, j'en ai profité pour jeter un coup d'œil dans la salle. Les gars étaient tous musclés !

Hypnotisée, j'entendais à peine ma mère discuter avec un certain Étienne. Il m'a demandé de sa voix grave :

– Tu commences ton entraînement aujourd'hui ?

– Euh... oui, bredouillai-je.

Il a continué de s'adresser à moi, très sérieusement, en fouillant dans un tiroir.

– C'est Julie qui va t'expliquer ton programme.

– Julie ? interrogeai-je, inquiète.

– La nouvelle. Tu verras, elle est super gentille !
Une vraie pro, m'expliqua-t-il. Elle vient de terminer
ses études. Je pense que vous vous entendrez bien.

Ma mère souriait. Moi, je fronçais les sourcils. Je
ne voulais pas d'un entraîneur ! Je voulais suivre ma
mère !

Étienne a fait glisser un objet vers moi, retenant
mon attention.

– C'est ta carte, m'informa-t-il. Il faut que tu la
passes au-dessus du lecteur. Quand la lumière verte
apparaît, tu peux pousser la barre pour entrer dans la
salle.

MA carte. Je l'ai prise, retournée et observée dans
tous les sens. Elle brillait...

– Fais attention, ajouta-t-il gravement, parce que,
si tu la perds, ta mère devra la repayer.

– Oui, oui ! Merci ! m'empressai-je de répondre en
me précipitant vers le tourniquet métallique.

J'ai passé ma carte au-dessus de la machine argentée et poussé la barre. Ma mère a salué Étienne et m'a
suivie.

Dans les vestiaires, des casiers bosselés s'alignaient,
environ une trentaine. Au centre trônait un énorme
banc en bois.

– Si tu veux, tu peux te changer dans une cabine, me précisa gentiment ma mère en déposant son sac sur le banc.

– OK.

J'étais pudique. J'appréciais beaucoup qu'elle s'en souvienne. Je n'avais pas beaucoup de poitrine et mon corps était rectiligne. Rien à exposer.

Mes nouveaux vêtements... étaient en Lycra ! J'ai avalé ma salive de travers. En les revêtant, j'ai grogné. Le tissu collait à ma peau... Après avoir enfilé mes nouvelles chaussures, j'ai mis mes vêtements dans mon sac.

– Léa ! Es-tu prête ? interrogea ma mère de l'autre côté de la porte.

– Oui, maman ! J'arrive !

Gênée, je suis sortie de la cabine.

– WOW ! Une vraie sportive ! s'exclama ma mère, admirative.

J'ai grimacé en fixant mes pieds.

– Ouais..., mais maman..., c'est trop serré.

– Chérie, c'est le seul tissu convenable. Dépêche-toi, on va être en retard, s'énerva-t-elle un peu.

– Mais...

– Viens s'il te plaît ! insista-t-elle en réajustant mon chandail.

Le cœur battant, je l'ai suivie dans la section verdâtre réservée aux machines pour les exercices cardiovasculaires. Eminem chantait à tue-tête.

– Qu'est-ce que tu veux faire, Léa ? s'enquit ma mère en me caressant le dos.

J'ai hésité en tapotant mes lèvres de mon doigt.

– Je ne sais pas... le tapis...

– Ah oui ? OK. On va s'installer l'une à côté de l'autre.

Trop tard pour changer d'idée. J'ai grimpé sur ma machine, heureuse de commencer mon entraînement. Après avoir compris le fonctionnement de celle-ci, j'ai augmenté la vitesse. Cinq minutes plus tard, mon sang pulsait dans mes veines. Mon corps, lui, brûlait.

– On va faire quinze minutes, c'est le minimum pour être en santé, me fit remarquer ma mère en souriant à pleines dents.

– Je sais, répondis-je en roulant des yeux, pour réchauffer mes muscles...

Ma mère nous répétait toujours la même rengaine, à mon père et à moi, lorsque nous marchions dans notre quartier, certains soirs. Et là, elle trottait sur son tapis roulant avec une grâce naturelle. Pour l'imiter, j'avais de nouveau augmenté ma cadence en pesant sur la flèche verte. Mais c'était difficile.

Tout à coup, j'ai manqué un pas et je me suis agrippée aux deux barreaux de la machine. Ma mère, inquiète, a sauté sur le plancher. Une vraie gazelle !

– Léa ! Es-tu correcte ?

Les jambes entremêlées, sans voix, je suis descendue du tapis avec son aide. Quelle honte ! C'était la première fois que je m'entraînais et j'avais trébuché ! Qu'en penserait ma mère ? Que j'étais une bonne à rien ! Elle qui était habituée à me voir réussir tout ce que j'entreprenais. Je voulais qu'elle soit fière de moi, pas qu'elle soit gênée par ma présence.

J'ai eu l'impression que tout le monde m'observait. Assurément, j'étais rouge comme une tomate. Ma mère continuait à se faire du mauvais sang.

– Fais attention... tu vas te faire mal ! Ralentis.

Je suis remontée sur le tapis en réduisant l'intensité de mes exercices. Mon corps était trempé. Pour éviter de tomber à nouveau, je me suis tenue fermement aux barreaux.

Dix minutes plus tard, ma mère, fraîche comme une rose, a terminé son exercice. J'ai pesé sur le bouton « Arrêt » et je l'ai imitée, soulagée que ce soit terminé.

– Ça va, chérie ? Tu penses à quoi ? me demanda ma mère, curieuse.

– À... rien..., mentis-je.

En fait, j'étais VRAIMENT énervée, car, elle, elle respirait normalement ! Moi, j'étais presque tombée, tête première, sur le tapis rugueux, et ce, devant tout le monde...

Prête à poursuivre mon activité physique, j'ai questionné ma mère :

– Qu'est-ce qu'on fait maintenant ?

– On va voir Julie. Suis-moi. On va dans la salle réservée aux femmes.

Avant de pousser la porte, ma mère s'est retournée et m'a observée. J'adorais quand elle arquait un sourcil ! Il ressemblait à une petite pyramide. Trop drôle...

– Es-tu contente, ma puce ? me chuchota-t-elle.

– Oui, oui, maman ! Est-ce qu'on peut entrer maintenant ? m'impatientai-je.

– Surtout, écoute les consignes de Julie.

– Oui, oui.

– Sois respectueuse et replace toujours ton matériel.

– Maman, entre ! explosai-je.

Je n'en pouvais plus. Je suis donc passée devant elle, j'ai ouvert la porte sans plus attendre et je suis entrée dans la salle.

Julie m'a regardée, le sourire en coin.

Ses longs cheveux noirs, qui semblaient doux au toucher, encadraient son visage. Elle me rappelait Cléopâtre. Je me suis immédiatement sentie bizarre. À vrai dire, j'étais bouleversée par son corps ferme, tout en formes. Mon regard restait braqué sur elle. Étais-je en train de me pâmer sur une fille ?! Je me suis étouffée, m'apercevant que c'était la première fois que des fourmillements me couvraient entièrement à la vue de quelqu'un.

Confuse, j'ai refermé la porte derrière nous, ce qui a provoqué un écho assourdissant. Comme partout dans le gymnase, des appareils et des ballons de tailles différentes envahissaient le local. Une odeur de métal flottait à l'intérieur.

Pendant que ma mère discutait avec Julie, j'ai essayé de bouger mes jambes, mais elles sont restées collées au sol. Mes joues, elles, brûlaient. Qu'est-ce qui se passait avec moi ? Pourquoi Julie me faisait-elle autant d'effet ? Et pourquoi n'avais-je jamais ressenti ce trouble, avant, avec des gars de mon âge ?

Julie s'est avancée vers moi. J'ai dégluti. Quelles jambes ! Lorsqu'elle est arrivée à ma hauteur, elle m'a saluée en me tendant une main délicate.

– Salut ! Je m'appelle Julie, m'annonça-t-elle gentiment en se penchant vers moi et en chuchotant. Ta mère m'a dit que ça faisait longtemps que tu voulais t'entraîner.

Je suis restée muette, fixant ses lèvres charnues dansant devant moi. Elle a ajouté :

– Suis-moi, tu vas faire le *Leg Curl* en premier pour sculpter tes cuisses.

Au prix d'un immense effort, mes pieds se sont soulevés et j'ai senti sa main brûlante sur mon épaule. Le visage recouvert de mini-volcans, je me suis assise sur le siège en cuir noir en écoutant ses explications.

– Bon, pour ne pas te blesser, évite de surcharger ta machine. On veut juste que tu te familiarises avec elle.

Intimidée, j'ai hoché la tête en fixant mes pieds. Elle pouvait me demander ce qu'elle voulait, je lui obéirais au doigt et à l'œil ! Surtout si elle me soufflait tout le temps ses consignes à l'oreille...

– Pour commencer, on met vingt livres.

Son parfum sucré m'a enveloppée. Prise de délicieux frissons, je l'ai regardée se pencher au-dessus de mon corps pour atteindre la clé bloquant mes poids. Je me suis presque évanouie en sentant ses seins m'effleurer. La peau de mon cou a bouilli. Je me suis grattée, chamboulée par sa présence.

– Pousse en expirant.

Julie me dirigeait dans mes exercices, mais elle ignorait totalement qu'elle me chavirait. Déstabilisée, j'ai réalisé, à ce moment précis, que cette fille me bouleversait. Paniquée, j'ai poussé la plateforme de mes pieds de toutes mes forces.

Les poids se sont entrechoqués bruyamment et je me suis stoppée net, à bout de jambes. Julie a sursauté et crié :

– Oh ! doucement, Léa !

– Je... je pensais que c'était plus lourd, avouai-je, les larmes aux yeux.

Et si j'étais lesbienne ?!

Julie s'est penchée vers moi, l'air rassurant.

– Ce n'est pas grave, Léa, redescends en inspirant et remonte en expirant len-te-ment.

J'ai approuvé de la tête, retenant mes pleurs, et déplié mes jambes en ressentant un million de fourmis sur celles-ci. Puis, j'ai entendu ma mère hurler dans mon dos.

– Léa !

Mon cœur a fait trois tours.

– Fais attention ! Tu vas te déchirer un ligament.

Pour lui répondre, embarrassée de la voir s'énerver de la sorte, j'ai retenu mon sanglot et respiré un bon coup.

– Je le sais, maman.

– Chérie, marmonna-t-elle, soucieuse. Tu as des plaques rouges partout.

Sidérée, je l'ai questionnée :

– Est-ce que j'en ai beaucoup ?

– Oui.

– Est-ce qu'elle est allergique à quelque chose ? demanda alors Julie, visiblement inquiète.

– Non, non, bafouilla ma mère. C'est probablement un coup de chaleur. On suffoque ici. Je vais ouvrir la porte.

L'air frais a rapidement envahi la salle. Mes rougeurs apparaissaient toujours quand j'étais TRÈS nerveuse. Et là, le fait que je m'aperçoive que Julie m'attirait irrésistiblement, que je n'étais peut-être pas hétéro, JE CAPOTAIS ! Ma mère perdrait-elle les pédales en le découvrant ? On était loin des histoires de princesses tombant amoureuses de vaillants chevaliers qu'elle m'avait racontées toute mon enfance ! J'ai poussé un soupir de découragement.

Une heure durant, j'ai dû observer Julie. Elle m'expliquait mon programme avec patience. M'obligeant à l'admirer, si belle, si fascinante en effectuant ses mouvements. Des images défilaient dans ma tête. Je me voyais enfouir mon visage dans son cou pour la humer, l'embrasser. Puis, je chassais immédiatement ces visions troublantes en me rappelant à l'ordre. Je n'avais pas le droit d'imaginer « ces choses ». À l'ordinaire, une femme tombe amoureuse d'un homme ! Pourtant, la peau de mon entraîneur semblait si soyeuse...

Une bouffée de chaleur m'a envahie. Mes plaques rouges ont picoté sur mon visage. Pas de doute. Je ressentais quelque chose pour elle. Quelque chose D'ANORMAL ! Il fallait que je trouve un moyen de me contrôler, de refouler mes envies envers elle.

Pour éviter d'éveiller les soupçons de ma mère, je me suis concentrée sur mes exercices. Pendant ce temps, Julie racontait qu'elle avait enfin obtenu son diplôme en éducation physique. Elle espérait se faire offrir un poste dans une école. En attendant, elle aimait beaucoup travailler pour Étienne.

Quand elle a prononcé le prénom de l'homme qui m'avait remis ma carte, une heure plus tôt, j'ai perçu un changement dans sa voix. Je l'ai immédiatement regardée. Elle fixait le plancher, timide.

Oh !... Elle l'aimait ! Une pointe de jalousie m'a transpercé le cœur. Je ne comprenais pas ! Qu'avait-il d'intéressant, celui-là ? Atterrée de ressentir cette douleur, je me suis dit qu'il fallait trouver un moyen pour que je sois attirée par les gars, pour cacher ce que j'étais ! ET VITE !

Avant de quitter le centre de conditionnement physique avec ma mère, la mine basse, je me suis emmitouflée dans mon manteau d'hiver. J'ai poussé la barre métallique et je les ai vus ! Étienne et Julie ! Il l'a embrassée sur la joue. Les larmes aux yeux, je me suis précipitée à l'extérieur et me suis affalée sur le siège de la voiture. J'aurais tellement voulu être à la place d'Étienne ! Ça me faisait mal, ça m'effrayait ! Mes sentiments pour Julie étaient impensables.

Ma mère, satisfaite de sa première séance avec sa fille chérie, a démarré la voiture. Je l'ai regardée, les yeux mouillés. Heureuse, elle scrutait la route.

JAMAIS, JAMAIS elle ne devait découvrir que j'étais lesbienne...

Les jours suivants, j'ai rêvé de Julie. Une première fois, puis deux, puis trois. Dans mes rêves, je m'entraînais au gym. Mon entraîneur m'aidait à soulever des poids, me susurrait des mots doux, m'encourageait. Rien d'anormal jusqu'à ce que nos lèvres se touchent. Quand nous nous embrassions, une immense bouffée d'amour me parcourait. Je me sentais bien, libre ! Mais ma mère nous surprenait, et là, je découvrais la signification de la fin du monde.

Ma mère pleurait, me suppliait d'arrêter de toucher Julie. Puis, elle me criait des insultes, me reniait. Quand je me réveillais, je gémissais dans mon lit, me rendant compte que d'ignorer mes sentiments pour mon entraîneur, jour après jour, était infaisable. Mes émotions prenaient le contrôle et m'étouffaient.

Un mois après mon anniversaire, comme j'appréhendais les soirs où j'accompagnais ma mère au centre de musculation, j'ai décidé de lui annoncer que j'allais renoncer à m'entraîner. Voir Julie était trop difficile à supporter. Je ne voulais surtout pas dire à ma mère que j'abandonnais à cause de mon entraîneur, que je pensais à elle TOUT LE TEMPS et que je ne savais plus comment me la sortir de la tête. Faire de la peine à ma mère en interrompant nos moments privilégiés me torturait, mais je n'avais pas le choix.

Quand je suis retournée au gymnase, certaine que ce serait la dernière fois, j'ai immédiatement remarqué que quelque chose clochait. Julie brillait par son absence. Pourtant, le lundi, elle travaillait toujours. Derrière le comptoir, une inconnue, aux cheveux ébouriffés, lisait une revue à potins. Toute joyeuse, elle s'est adressée à ma mère.

– Salut, Mélanie ! Comment vas-tu ?

– Super ! Tu travailles les soirs maintenant ?! poursuivit ma mère, étonnée.

– Non, je remplace Julie.

Sans prendre le temps de contrôler ma réaction, je me suis interposée, insultée :

– Pourquoi ?!

La nouvelle, ahurie, m'a observée avec ses grands yeux bruns et a précisé :

– Elle a démissionné. Étienne avait besoin d'un remplaçant, alors j'ai accepté. En passant, bonjour. Je m'appelle Danielle. Es-tu la fille de Mélanie ?

– Oui, s'écria fièrement ma mère. Je te présente Léa. Qu'est-ce qui s'est passé avec Julie ? enchaîna-t-elle.

– On lui a offert un poste de remplaçante dans une école. D'après Étienne, ils l'ont contactée ce matin. Elle s'est présentée et a été engagée sur-le-champ.

– Wow !... Je suis contente pour elle. Depuis le temps qu'elle rêve d'enseigner. Vas-tu la remplacer longtemps ?

– Peut-être une semaine, se plaignit Danielle, jusqu'à ce qu'Étienne trouve quelqu'un d'autre. Je préfère travailler le jour.

Pendant que ma mère et Danielle discutaient, je me suis discrètement éclipsée dans les vestiaires. Assise dans une cabine, j'ai pleuré. Tout mon soulagement et ma peine ont coulé sur mes joues, entre mes doigts. J'étais libérée de l'emprise de Julie, mais inconsolable.

Entre deux sanglots, j'ai entendu la porte des vestiaires s'ouvrir. J'ai respiré un bon coup, retenu mes larmes et reconnu la voix angoissée de ma mère.

– Léa ? Es-tu là ?

– Oui, toussotai-je.

– Ça va, chérie ?

– Oui, oui, décrétai-je en essuyant mes larmes.

– Je te réserve un tapis à côté du mien... Dépêche-toi, ma puce ! Je t'attends, OK ?

– J'arrive ! m'exclamai-je, faussement enjouée.

Se doutait-elle de quelque chose ? Je devais faire attention. TRÈS attention. Au moins, je pourrais continuer à m'entraîner. J'ai poussé un profond soupir en essayant de me convaincre que désormais tout se déroulerait normalement. Il le fallait !

Je me suis mouchée et j'ai essuyé mes paupières du revers de la main en me disant que ça ne servait à rien d'avoir de la peine. De toute manière, ce n'était pas normal, ce que je ressentais pour ma Julie. Je voulais être comme les autres filles de mon âge et tomber amoureuse d'un garçon.

En vingt minutes, j'ai escaladé pas moins de cent cinq marches. Couverte de sueur, sans parler ni penser, je me concentrais sur une chose : ne rien ressentir. Ni pour Julie ni pour aucune autre fille. JAMAIS !

Partie 2

DISCRÉTION

Cinq ans plus tard...

CHAPITRE 2

LA rencontre !

10 juin

L'humidité dans ma chambre m'écrase, imprègne mes cheveux qui ondulent sur mon dos. Couchée sur mon lit, je fixe mon réveil. L'aiguille argentée s'immobilise sur le six. Je bâille. C'est samedi. Mes yeux, lourds de sommeil, tombent sur ma commode. Des vêtements y sont empilés.

La veille, l'estomac noué, j'avais choisi avec difficulté ce que j'allais porter. La jupe noire qui m'arrive aux genoux ou la mini en denim ? Comme j'aime la fermeté de mes jambes, j'avais opté pour cette dernière. Sur celle-ci, j'avais déposé un chemisier coquille d'œuf, parsemé de fleurs indigo.

L'agencement de mes vêtements est parfait pour LA rencontre avec Frédérique.

Je suis tellement stressée ! C'est mon premier *blind date* ! Je me demande si elle est aussi belle que sur ses photos. On s'envoie des courriels depuis seulement deux semaines et je n'arrête pas de fouiller dans ses images sur son profil Facebook. Ouf... Elle est SUPER sexy !

Je m'étire, m'assois et me frotte les yeux. Cette nuit, j'ai fait plein de cauchemars. Mes parents découvraient mon secret. La nausée me prend. J'ai honte de leur mentir. De mentir à tout le monde. J'ai l'impression d'être une traîtresse. Pourtant, je rêve de leur avouer mon orientation sexuelle.

Je passe ma langue pour la millième fois dans ma bouche. L'intérieur de mes lèvres est rongé par l'inquiétude. Ma main effleure mon cou. Je suis en sueur. Wouach !... En me levant, je fais craquer le bois de mon lit et mon talon percute un tiroir. Je sacre et le repousse d'un coup de pied. Ce tiroir abrite mes romans, des documents historiques, que mon père me donne à la tonne, et des lettres écrites par mes deux meilleurs amis, Ariane et Alexis. J'y cache aussi tous mes Méritas scolaires.

En boitant, je me dirige vers la porte et l'ouvre. Ça sent le café corsé. Dans la cuisine, mon père tousse. Je ravale une boule coincée dans ma gorge. Je déteste le mener en bateau. Il est convaincu que je vais en ville afin d'acheter un collier pour ma robe de bal. C'est en partie la vérité. Je n'ai pas le choix de mentir.

Je me rends dans la salle de bains et m'y enferme pour uriner. Le bruit de l'eau tombant dans la cuvette me fait songer à notre piscine. J'ai hâte de me jeter dedans. Je m'imagine avec Frédérique. On est seules...

Je me relève, troublée, et me place devant le miroir. J'espère qu'elle me trouvera à son goût. Pour une fille de dix-sept ans, je peux dire que j'aime mon corps. Mes cuisses et mes mollets sont découpés au couteau, mes abdominaux sont fermes. J'en suis TRÈS fière. Ils compensent l'absence de formes parce que, malgré mon âge, j'ai encore un corps d'enfant. Comble de malheur, mon soutien-gorge est de taille A.

Je déteste mes petits seins ! Les autres femmes sont chanceuses. Au gym, je ne peux m'empêcher de déshabiller du regard les plus belles. C'est plus fort que moi. Je suis incapable de me contrôler. Quelle tête feraient-elles si elles me découvraient ?

Écarlate, je secoue ma crinière pour m'éclaircir les idées et j'enlève tous mes vêtements. J'entre dans la douche, des papillons dans le ventre, en pensant à mon rendez-vous. Que portera Frédérique ? Je l'imagine dans un jeans et une camisole noire, très *stretch*. Je l'ai vue sur Internet. Ce vêtement lui va particulièrement bien parce qu'il fait ressortir ses yeux, de la même couleur.

Enfin, je vais rencontrer la première fille qui m'intéresse vraiment depuis que j'ai commencé mes recherches sur le Web. Je ricane sous l'eau. Au début, quand j'ai tapé le mot « lesbienne » dans le moteur de recherche, cachée dans ma chambre, je suis tombée sur des sites pornos. Les images que j'examinais m'ont fascinée et excitée, mais, au bout d'une semaine, j'ai perdu mon intérêt pour ces femmes parfaites. Je voulais trouver de VRAIES lesbiennes !

J'ai donc pris mon courage à deux mains et j'ai écrit à Gai Écoute. C'est étrange, mais, en les contactant, j'avais peur qu'ils appellent mes parents pour leur apprendre que j'étais lesbienne. J'ai donc demandé à ce centre de m'aider dans mes recherches, de me suggérer des sites de rencontres pour femmes à femmes. Dans la même journée, j'ai reçu un message avec trois suggestions crédibles, selon le bénévole qui avait pris le temps de me répondre.

Je me rappelle encore à quel point j'étais excitée en tapant la première adresse et en lisant les profils des femmes qui recherchaient l'amour, COMME MOI ! Je n'étais plus seule... Le problème : elles avaient toutes au moins trente ans. Et la plupart n'étaient pas mon genre.

À force de passer des heures, dans mon lit, souvent la nuit, à ouvrir et à refermer des profils, je suis tombée sur celui de Frédérique. Et là, j'ai été frappée par sa beauté, son magnétisme et son âge. Elle n'avait que vingt ans.

Frédérique se présentait brièvement. En gros, elle disait aimer le rock et faire la fête. Elle précisait être serveuse dans un bar et célibataire. Il ne m'en fallait pas plus. Je lui ai envoyé un courriel pour lui dire que je voulais apprendre à la connaître, que je venais à peine d'accepter le fait que j'étais lesbienne et que je cachais ma réalité à mon entourage. À ma grande surprise, parce que je ne croyais pas qu'elle pourrait s'intéresser à une ado, elle m'a répondu.

Aujourd'hui, je vais ENFIN la rencontrer, en chair et en os !

L'eau froide coule sur ma peau, me soulage. Je touche mes fesses : plates. Qu'aurais-je donné pour qu'elles soient plus rebondies, comme celles de Jennifer Lopez !

Je reste sous le jet une dizaine de minutes avant de sortir. Après avoir éteint le ventilateur, j'entends ma mère discuter avec mon père. Nous sommes sûrement la seule famille dans le quartier à être debout à cette heure. Je m'enroule dans une serviette blanche pour finalement m'enfermer dans ma chambre microscopique. Je me glisse dans une robe soleil et attache mes cheveux en une queue de cheval bien serrée. Il reste onze heures et trente minutes avant mon rendez-vous. Aussi bien être à l'aise en attendant. Les mains sur les hanches, je me regarde dans le miroir sur pied et vois mon sac d'école appuyé contre le mur.

Plus qu'une semaine avant les examens de fin d'année. Après, je me rendrai à mon bal avec mes deux amis. Ils veulent ab-so-lu-ment que je les accompagne ! Ont-ils pitié de moi, la pauvre célibataire ? Je prends mon sac et quitte ma chambre.

Je décide de lire mes textes, pour mon cours de français, sur la terrasse. Les pieds collant sur le plancher, j'essaie de marcher le plus rapidement possible afin d'éviter ma mère. Vêtue d'une chemise de nuit grise, elle boit son café quand elle m'interpelle. Zut ! Elle va ENCORE me faire son plaidoyer. Je déteste ça !

Depuis que j'ai annoncé que je veux me rendre en ville, elle me harcèle pour m'accompagner. Mais elle ignore que je dois rencontrer Frédérique et accepte mal que je l'exclue.

— Léa ! Qu'est-ce que tu fais, chérie ?

Je réponds, sur mes gardes :

— Je vais étudier dehors.

— À quelle heure pars-tu ?

Elle semble désintéressée, mais, au fond, elle ne souhaite qu'une chose : que je change subitement d'avis et que je l'invite. J'ajoute innocemment :

— Je partirai à trois heures. Pourquoi ?

— Juste pour savoir, marmonne-t-elle.

— Je vais dehors.

Ma mère hoche la tête. Son expression se durcit et elle fixe sa tasse, désappointée. Je reste là, fautive, au beau milieu de la cuisine, à la regarder avec son air de chien battu et je me sens coupable. Mon père, captivé par ses journaux, ne voit pas la tristesse dans les yeux de sa femme. Je souhaiterais la contenter, mais l'inviter est impensable. Si elle savait... Je me retourne prestement, ouvre la porte coulissante et sors.

Il n'est que neuf heures trente. Ça fait deux heures que j'essaie de lire mes textes sans succès. Je ne fais que rêver à ma soirée avec Frédérique. Et je me pose mille questions. Que se passera-t-il si elle me trouve ennuyante ? Si je m'aperçois que nos personnalités sont à l'opposé ? Si Cupidon nous lance une flèche ? Comment annoncer à mes parents que je suis amoureuse d'une femme ?

Frustrée, je rentre dans la maison, traverse la cuisine, déserte, et retourne dans ma chambre. Mon père, dans le salon, écoute les nouvelles. Miss météo parle de la canicule. Selon elle, la situation s'éternisera jusqu'à demain. J'en ai assez de cette chaleur ! Épuisée, je fais démarrer mon ventilateur, tire mes rideaux et me couche. Aussi bien dormir pour passer le temps.

À quatorze heures, je me réveille en sursaut, détrempée et affolée. J'ai peur d'arriver en retard à mon rendez-vous. Ce serait inconcevable. Heureusement, j'ai encore du temps. Mon ventre gronde. Je quitte ma chambre et me dirige vers la salle à manger. Un mot traîne sur la table :

« Salut chérie ! Ton père et moi sommes partis manger au restaurant. Nous irons voir un film cet après-midi. On a voulu t'embrasser, mais tu dormais. Trouve le plus beau des colliers ! Et fais attention sur la route ! Je t'ai laissé les clés de mon auto près de la porte d'entrée et j'ai programmé ton trajet sur le GPS.

Je t'aime.

Maman xx »

Je soupire de soulagement, car je n'aurai plus à endurer son air affligé. Tout sourire, je fouille dans le réfrigérateur et comprends que mes parents aient voulu aller manger au restaurant : il n'y a rien ! Je me rabats sur des céréales et les avale, debout, devant le comptoir, le regard perdu.

Le téléphone sonne. Mon sang se fige. Je dépose mon bol sur le comptoir et réponds nerveusement :

— Allô !

— Léa ! Qu'est-ce que tu fais ? me demande Ariane, ma meilleure amie.

— Je mange. Pourquoi ?

— À cette heure ! s'étonne-t-elle. En tout cas, as-tu lu tes textes en français ?

— Pas au complet.

— Ah non ! Je ne comprends pas le sujet du dernier. Est-ce qu'on peut se voir ?

Ariane semble désespérée. Je rétorque :

— Non.

— Pourquoi ? Travailles-tu plus tôt aujourd'hui ?

J'indique, hésitante quant à l'excuse à fournir :

— Non... j'ai pris congé.

— Pourquoi ?

Je lève les yeux au ciel. Va-t-elle arrêter de me poser des questions ?

– Je vais en ville pour acheter un collier qui ira avec ma robe de bal.

– Ah oui ! Cool ! Je veux venir !

– Non !!!!

Devant l'air surpris de mon amie, je radoucis le ton.

– Ma mère m'accompagne.

– Peux-tu lui demander si je peux vous accompagner ? insiste-t-elle tout de même.

Décidément, elle ne lâchera pas le morceau.

– Je pense qu'elle veut qu'on y aille juste toutes les deux. On pourrait se voir demain après-midi pour lire les textes. Je te montrerai mon collier en même temps.

– D'accord, cède-t-elle, visiblement déçue.

– Bon, il faut que je te laisse. On part dans une heure.

– OK. Bye, souffle-t-elle, dépitée.

– Salut !

BANG ! Le combiné frappe le réceptacle lorsque je raccroche. Avec Ariane, mieux vaut couper court à la conversation avant qu'elle reparte avec ses questions. Décidément, c'est de plus en plus difficile de faire croire à tout le monde que je vais magasiner. Comment font-elles, les lesbiennes, pour réussir à mener une double vie ? Ne ressentent-elles jamais de honte, de dégoût pour elles-mêmes ? Moi, si !

Je retourne dans la salle de bains pour me brosser les dents. En me regardant dans le miroir, je songe, peinée, qu'à un moment donné ceux que j'aime découvriront le pot aux roses. Juste à y penser, des larmes coulent instantanément sur mes joues. Je dépose ma brosse à dents dans le tiroir et m'essuie le visage. Je ne suis pas prête. C'est trop tôt pour en parler. De toute manière, il n'y a rien de certain avec Frédérique.

Je revêts ma jupe, mon chemisier et pense à Frédérique. Une excitation se réveille au creux de mon ventre, se fraie un chemin dans mes mains tremblantes. Comme il fait chaud, je décide de garder ma queue de cheval pour éviter que mes cheveux frisottent. Je veux la séduire, pas lui faire peur !

Je dépose une crème bleutée, de la même couleur que mes yeux, sur mes paupières et du mascara noir en quantité sur mes cils trop courts. La touche finale : un peu de rouge à lèvres rose bonbon. Je me trouve belle, mais naturelle. Mes vêtements, eux, en révèlent juste assez. Pourvu qu'elle me trouve attirante... intéressante ?!

Satisfaite, je prends mon sac blanc et y dépose mon portefeuille. J'ai assez d'argent pour m'acheter un superbe collier et déguster un bon repas. Je suis fière de gagner des sous au salon de quilles depuis un an.

Je dépense rarement. En plus, mes parents m'ont offert ma robe de bal. Trop *hot* ! Dans deux semaines, je pourrai la revêtir.

Je me regarde une dernière fois et me juge présentable. Dans le salon, je trouve, comme prévu, les clés de ma mère. Je verrouille la porte de la maison et me dirige vers l'automobile en sautillant.

Je dépose mon sac côté passager, m'assois derrière le volant et ajuste mon siège. Quand je démarre, mon regard s'allume comme un phare.

Depuis que j'ai dix-sept ans, je peux conduire seule ! Libre de me rendre où bon me semble ! Les Black Eyed Peas chantent, le vent fait tournoyer ma queue de cheval. Souriante, je roule, allant au-devant de mes désirs, obéissant à mon destin : Frédérique. Ma peau chauffe. Je remonte les vitres et allume la climatisation.

En conduisant, j'évoque les photos de Frédérique. Son nez pointu qui ressort à cause de son visage triangulaire. Ses lèvres minces que je rêve de frôler, ses courbes, son sourire, ses yeux félins... Je frissonne, pleine de désirs. Quel est son parfum ? Sa peau est-elle douce ? Je n'en peux plus de me poser toutes ces questions ! Je compte les minutes avant de pouvoir répondre à cet interrogatoire.

Vingt-deux kilomètres au total. Je suis arrivée en ville. Je ralentis à un feu rouge. J'en profite pour changer de disque et remarque qu'il est quinze heures cinquante. Je le trouve long, ce feu ! Ima fredonne une ballade exotique. Enfin, c'est vert. J'appuie sur l'accélérateur et continue mon trajet. Bientôt, je m'assoirai à la table que Frédérique a réservée dans un restaurant près du marché. On a rendez-vous à dix-huit heures. Et si je l'énerve ? Mais qu'est-ce que je vais bien pouvoir lui raconter ? Je CAPOTE !

Enfin, je suis arrivée ! « Continuez tout droit et tournez à gauche. » Monsieur GPS me rassure avec sa voix neutre et calme. Yé !!! J'aperçois le marché.

Je me rappelle que ma mère adore déambuler dans ce quartier achalandé pour dénicher des vêtements en solde. Mon père, lui, nous entraîne toujours à l'intérieur du marché pour acheter des produits régionaux. Il se paye surtout des fromages goûteux, odorants, et des pâtés très gras. Moi, j'apprécie leur compagnie. Je les observe se tenir par la main, du coin de l'œil, et rêve de faire de même un jour.

« Vous êtes arrivée à destination. » Je gare la voiture en face d'un restaurant français. Mes doigts, refroidis, restent collés au volant. Les battements de mon cœur s'accélèrent. Devrais-je faire demi-tour ? Est-ce que je veux réellement rencontrer Frédérique ? Est-ce le bon moment ? Et si quelqu'un que je connais me voit avec elle ? C'est l'inconvénient de faire des choses en cachette et de devoir mentir.

J'appuie mon front sur le volant. Ne pas flancher ! Ne pas flancher ! J'inspire profondément et expire lentement à plusieurs reprises en me concentrant sur la mélodie qui joue à la radio. Je m'imagine dans le Sud, sous les palmiers. La brise dans mes cheveux, les pieds dans l'eau. Je me calme et prie pour que mes plaques rouges ne couvrent pas ma peau. Je me redresse, coupe le contact et sors de la voiture.

L'humidité extérieure contraste avec l'intérieur de la voiture. Je regarde ma montre : seize heures. Tout en marchant, et suffoquant comme un chien, je me glisse entre les piétons avant de me retrouver devant la boutique où je veux acheter mon collier. Je pousse la porte et entre. L'air frais m'enveloppe immédiatement.

Dans une des sections, il n'y a que des bagues. En les observant, je songe avec peine à Ariane et à sa déception. Elle est ma meilleure amie depuis ma première année du primaire et je déteste la faire souffrir. Au moins, elle pourra examiner mon achat demain. Elle qui aime tant confectionner des bijoux... Satisfaite de mon raisonnement, je m'avance vers une seconde section, réservée aux bracelets et aux colliers brillants.

Il y en a tellement ! La vendeuse assise dans une petite salle vide derrière le comptoir me jette un coup d'œil, se lève et s'approche.

– Bonjour ! me dit-elle. Besoin d'aide ?

– Oui. Je cherche un collier pour aller avec ma robe de bal.

– C'est pour quand ? m'interroge-t-elle, intéressée.

– Dans deux semaines.

La vendeuse acquiesce et me demande sur un ton sérieux :

– Quelle est la couleur de la robe ?

Je prends le temps de lisser mon chemisier avant de répondre :

– Azur.

– Pour aller avec vos yeux. Bon choix.

Je réprime un fou rire. Elle vient de me vouvoyer. Habituellement, c'est moi qui le fais.

– Votre robe est-elle classique ?

– TRÈS classique.

– Pouvez-vous me la décrire ?

– En fait, c'est une robe avec des bretelles spaghetti. Elle est décolletée, fait un carré au-dessus de ma poitrine, assez serrée.

Je rougis, puis je continue :

– En dessous, des voiles s'entrecroisent jusqu'aux genoux.

Je regarde la vendeuse. Elle examine les bijoux en hésitant. Ai-je été claire ?

– Donc, vous cherchez un collier classique et brillant. J'ai justement ce qu'il vous faut.

Elle sort une clé de sa poche et l'insère dans la serrure en métal. Une des portes vitrées glisse. La vendeuse prend une chaîne en argent soutenant une pierre transparente, légèrement bleutée. Celle-ci a la taille d'un petit raisin. Plate d'un côté et bombée de l'autre.

Elle me tend le trésor ; je l'attache autour de mon cou et vais m'examiner devant un miroir.

J'écarte les revers de mon chemisier et le joyau me saute aux yeux. Il est super beau.

La vendeuse se poste à côté de moi. Ses yeux étincellent.

– Parfait, souffle-t-elle en joignant ses paumes. Voulez-vous en essayer d'autres ?

Aux anges, je rétorque rapidement :

– Non, non, je l'achète !

À l'extérieur, le cœur léger, je me dirige ensuite vers une librairie près du marché. À l'intérieur, des centaines de bouquins sont mis en évidence sur des étagères. Mon objectif : feuilleter des romans pour passer le temps, en acheter un et m'asseoir sur un des divans repérés en pénétrant dans cet endroit.

Impossible de lire ! La petite fille, à mes côtés, m'énerve avec ses ricanements stridents. Elle doit avoir douze ans.

Je me revois à son âge, amoureuse de Julie, tentant tant bien que mal de refouler mes désirs. Découvrir que j'étais lesbienne était trop effrayant. J'avais préféré me cacher la tête dans le sable et me convaincre que j'étais comme les autres filles : « normale ». En y repensant, je m'aperçois que Julie ressemble étrangement à Frédérique. Aujourd'hui, ça me saute aux yeux. Même corps ferme, mêmes cheveux noirs, même sourire incroyable...

Une boule se forme dans mon ventre et le tord quand je repense à ces cachotteries. C'est affreux de porter un masque tout le temps. Je soupire de découragement et regarde ma montre.

Il est dix-sept heures quarante. C'est le moment !

Je referme mon livre d'un coup sec et me dirige vers la sortie. Mon passé, mes déceptions et mes incertitudes, je les laisse derrière moi. Frédérique représente mon futur, mes prochaines découvertes, mon acceptation...

Le restaurant est à cinq minutes de marche. J'ai tout prévu : arriver un peu plus tôt, mais pas trop. Je cache mon livre dans mon sac et j'angoisse. Hâte, peur... Un mélange de sensations se propage dans mon corps. Je tremble d'impatience.

J'identifie facilement l'endroit. Une immense terrasse couvre une partie du trottoir.

J'entre : ça pue la friture. Je panique : trop de clients. Partout !!! Comment vais-je reconnaître Frédérique ? Est-elle là ? J'ai l'impression que les clients sont en train de m'examiner, surtout les deux barbus assis à côté de l'entrée. Tout en sirotant leur bière, ils me reluquent en souriant. J'essaie de trouver Frédérique du regard. Elle n'est nulle part. Bâtard !

– Bonjour, m'interpelle joyeusement une jolie rousse.

Visiblement, elle travaille dans l'établissement. Elle porte un tablier noir et une jupe TRÈS courte.

– Bonjour, que je réponds en tordant mon sac, timide.

– Est-ce que vous êtes seule ?

– Je cherche une amie. Elle a peut-être réservé à son nom : Frédérique ?

Je dois hurler, car la musique *lounge* couvre nos voix.

– Oui…, j'ai justement une table dans le fond du restaurant, mais votre amie n'est pas encore arrivée. Vous pouvez me suivre.

Rassurée d'être la première, je suis la serveuse et longe le bar avant de monter deux marches en bois décoloré. Il reste une table : celle du fond, près du mur de briques.

Je rentre mon ventre pour passer derrière quatre femmes d'âge mûr qui rient en buvant de la sangria. Elles ont deux pichets devant elles. Grosse soirée en perspective... Je tire ma chaise et m'assois. La rousse me remet deux menus. Je la remercie en regardant vers la terrasse.

J'ai l'impression que ma tête est divisée en deux. La partie gauche me dit de repousser ma chaise et de m'enfuir en courant, tandis que la partie droite m'exhorte au calme. J'écoute cette dernière et respire un bon coup... captant une odeur épicée au passage. Mon ventre gronde, mais j'ai mal à l'estomac. Je me sens trop énervée.

En retard. Elle est en retard ! J'ai pensé à tout, sauf à ça ! A-t-elle changé d'idée ? Me pose-t-elle un lapin ? Je prends mon iPhone. Aucun message. Découragée, je le range dans mon sac. Que dois-je faire ? Lui envoyer un message texte ? Si j'ose, et qu'elle est en route, va-t-elle croire que je suis « contrôlante » ? Si elle doute, elle aussi, de son côté, et que le fait que je lui écrive la motive à me rencontrer ? Grrr... Je ne sais plus quoi faire.

Je panique et regarde encore vers l'entrée : PERSONNE !

– Veux-tu quelque chose à boire ?

Je sursaute. La rouquine attend ma réponse en tapant du pied. J'hésite. J'ai dix-sept ans et je n'ai pas envie de sortir mes cartes. Je commande une boisson gazeuse. La serveuse s'éloigne rapidement. Je la suis du regard et mon cœur fait quatre tours.

Frédérique est près de la porte et scrute l'endroit.

Ouf... Elle ne me trouve pas tout de suite. Ça me laisse du temps pour reprendre mon souffle. Contente, je me concentre sur mon menu. Des gouttes de sueur perlent sur mes tempes. Puis, j'entends sa voix, en face de moi, douce... légèrement rauque. J'ai le tournis, mais je relève quand même la tête et l'observe.

Ses cheveux défaits tombent en vague sur ses épaules. Elle est plus belle que sur sa photo. Petite, mince, elle porte une jupe en jeans pâle, des talons hauts noirs et une camisole lavande. Son gros sac en cuir est de la même couleur que ses souliers. La joie et la peur me paralysent. Quelles pensées traversent son esprit ? Me trouve-t-elle à son goût ? Se rend-elle compte, maintenant, qu'elle vient de faire une gaffe monumentale ?

Frédérique me détaille. Pour faire bonne impression, je lui offre mon plus beau sourire et la salue timidement.

Zut ! Ma voix tremble, manque d'assurance. Je reste assise et plie mon menu dans tous les sens. Des flammes ravagent mon ventre. C'est stressant, un *blind date*. Heureusement pour moi, la serveuse nous interrompt en déposant ma boisson gazeuse sur la table. Je la remercie et me mets à siroter mon breuvage. Frédérique en profite pour s'asseoir en face de moi et commander un verre de vin rouge.

Mes yeux tombent sur son décolleté. J'ai chaud ! Ses seins ressemblent à deux petites montagnes sur lesquelles il semble bon errer. Je ne sais plus où regarder, mal à l'aise. Alors, pour briser le silence, je déclare, bêtement :

— Il fait chaud dehors.

Bravo Léa !... Quel beau sujet de conversation ! Grosse nouille !

Frédérique prend son verre de vin des mains de la serveuse et m'avoue qu'elle ignorait, en effet, qu'il faisait aussi humide avant de quitter son appartement. Elle a dû changer de vêtements, ce qui explique son retard.

— Le principal, de toute manière, c'est qu'on soit ici, toutes les deux, m'avoue-t-elle chaleureusement. Comment vas-tu ?

Je suis heureuse. Je sens qu'elle a envie d'être ici, avec MOI ! Je réponds calmement :

— Je vais bien.

Pour occuper mes mains tremblantes, je joue avec mon verre tout en gardant un œil discret sur Frédérique. Elle hume son vin. Satisfaite, elle en avale une grande lampée en me déshabillant du regard.

Je rougis.

— Tu es belle, me chuchote-t-elle.

Ma peau brûle. J'ai envie de lui avouer que je la trouve *hot*, mais j'en suis incapable. Paralysée par ma timidité, je bredouille alors :

– Merci !

Tout à coup, je regarde nos voisines. Ont-elles entendu son compliment ? Négatif. L'alcool a ramolli leurs tympans comme du beurre.

Frédérique savoure son vin, je déguste ma boisson. Silence inconfortable... Elle me détaille de ses yeux noirs mis en valeur grâce au maquillage qu'elle a appliqué en grande quantité. Est-il nécessaire d'en mettre autant ? Elle est pourtant si belle... Avec ou sans maquillage, je suis certaine qu'elle serait aussi attirante. Je préfère les beautés naturelles, mais je suis convaincue que Frédérique a exagéré avec l'ombre à paupières pour m'impressionner.

Je baisse les yeux, en me traitant de peureuse, et remarque qu'elle a un étrange tatouage sur le sein gauche : une petite fleur rouge. Que signifie-t-elle ? J'ai envie de lui poser la question. Peut-être devrais-je attendre... On se connaît à peine.

– J'adore le vin, m'apprend-elle.

Puis, passant sans transition d'un sujet à l'autre, elle ajoute :

– Trouves-tu ça stressant, Léa, de rencontrer une fille ?

Stressant ! J'ai envie de lui dire que je suis affolée, que j'ai peur de mes réactions, des siennes, de celles des clients. Que feraient-ils s'ils découvraient qu'on est lesbiennes ? Ne pas y penser... Ne pas y penser... Je réponds à sa question :

– Oui.

Mon Dieu, je vais la faire fuir avec mes réponses simplettes. Frédérique s'esclaffe :

– Ne t'inquiète pas, Léa, je ne te mangerai pas !

Qu'est-ce qu'elle insinue au juste ? Pas le temps d'y songer, la serveuse est là pour prendre notre commande. Frédérique, sans regarder son menu, décide de manger des pétoncles épicés et des frites maison. Je choisis la pizza végétarienne.

En remettant les menus à la serveuse, Frédérique me demande, l'air sérieux :

– C'est ton bal bientôt, si je me rappelle bien ? Y vas-tu avec quelqu'un ?

Enfin, un vrai sujet de conversation.

– Non.

Pourquoi suis-je incapable de préciser ma pensée ? Maudit stress ! J'aimerais tant être pleine d'assurance, mais Frédérique m'intimide avec ses grands yeux.

Elle fronce les sourcils et me demande :

– Pourquoi ?

Ma voix porte à peine, juste assez pour qu'elle m'entende :

– Mes amis croient que je suis normale...

Ses yeux s'agrandissent.

– Parce que tu penses que tu es anormale ?

Soudain, je me sens TRÈS nerveuse et me penche vers l'avant en chuchotant :

– Non, mais je n'ai pas dit à mon entourage que je suis différente.

Ce terme est-il plus approprié ? Je me mords les lèvres.

– Léa, tu es lesbienne, ce n'est pas la fin de monde ! s'écrie-t-elle.

J'ouvre grand les yeux et regarde autour de moi. Personne n'a entendu. Fiou !... Elle ajoute :

– De toute manière, qu'est-ce que tu fais de si différent ?

Je hausse les épaules en guise de réponse.

– Tu fais les mêmes choses que les hétéros. Tu vas à l'école, tu travailles, tu as des amis, tu veux me rencontrer. Y a rien d'anormal là-dedans. Je sais que c'est difficile de s'accepter au début, mais plus tu te cacheras, plus ça sera dur de faire ta vie, ajoute-t-elle, compatissante. Crois-moi... Ce n'est pas un choix d'être lesbienne. Veux-tu passer tout ton temps à te cacher ?

Elle me sonde de son regard assombri.

J'aimerais tant enfouir ma tête dans le sable comme une autruche et prendre le temps de digérer ma situation. Je me confie en parlant tout bas :

— J'ai peur de la réaction de mes parents et de mes amis.

Bon, voilà, j'ai le goût de pleurer. Il ne manquait plus que ça. Après l'anxiété, la tristesse. Je n'aime pas qu'elle me juge !

J'essaie de cacher mes larmes en évitant de la regarder, même si elle voit mon désarroi.

— Désolée de te mettre dans cet état. Oublie ta sortie du placard pour l'instant. On se concentre sur ton intérêt pour moi à la place.

Difficile d'être plus directe. J'hésite à lui répondre. Heureusement, notre serveuse arrive avec les plats. Elle les dépose sur la table.

— C'est toujours excellent ici, reconnaît-elle en se léchant la lèvre supérieure. Comment trouves-tu ta pizza ?

– Super..., que je réponds alors que je viens à peine de goûter ma nourriture.

En mangeant, je me dis que je me sens déjà mieux de voir la discussion prendre un virage moins direct.

Frédérique termine son verre de vin d'un trait. Décidément, elle a soif ! Pendant de longues minutes, je continue de dévorer mon repas en silence. Entre-temps, elle se commande un deuxième verre.

– Léa..., bredouille-t-elle, je ne sais pas si ça t'intéresse, mais je pourrais te faire visiter mon appart quand on aura fini de manger. Il faut que je me change avant d'aller travailler et, chez moi, j'ai un climatiseur.

Hein ! Une bouffée de chaleur m'envahit. Mes yeux s'arrondissent, affolés. Dois-je accepter ? Je la connais à peine ! Est-ce dangereux ? Au restaurant, au moins, nous sommes entourées de clients ! Que peut-il m'arriver si je la suis ?

Je réponds sans réfléchir plus longuement :

– OK.

Son visage affiche la surprise.

– Oui ?! Donne-moi dix minutes.

Embarrassée, je lance :

– Je ne veux pas te presser.

– Non, Léa, c'est moi ! J'ai hâte qu'on sorte d'ici. De toute manière, je commence dans une heure, autant se dépêcher si on veut avoir du temps pour être ensemble.

Il est dix-neuf heures et Frédérique a tenu sa promesse. En quelques minutes seulement, elle a englouti ses petits invertébrés et son vin. Après avoir payé, nous sortons de l'établissement. En la suivant, j'observe les terrasses devant lesquelles nous passons. Elles débordent de clients aussi entassés que des sardines dans leur contenant.

Au centre-ville, une tonne de restaurants différents s'alignent : italiens, vietnamiens, français. Craintive, j'essaie de me rassurer en regardant partout. Que se passera-t-il une fois chez elle ? Habite-t-elle dans un taudis ou dans un appartement accueillant et confortable ? J'angoisse.

Frédérique fait claquer ses talons sur le trottoir. Elle fronce les sourcils et cache le soleil de sa main droite.

– Je déteste la chaleur ! admet-elle en grognant. Au moins, je me ferai un max de pourboire ce soir. Voudrais-tu venir au bar vendredi prochain ? Tu pourrais voir où je travaille.

Elle réfléchit avant de continuer.

– Je te présenterai ma meilleure amie.

« Je ne sais pas... Je ne sais pas... Vite. Décide ! » Tout va si vite... Pourtant, sa vie m'intrigue et l'idée d'entrer dans un bar pour la première fois pique ma curiosité. Impossible de refuser. Je ne veux pas qu'elle pense que je suis une ado apeurée ou que je la rejette. J'accepte rapidement.

Après quelques minutes de marche, Frédérique me pointe du doigt un grillage pas trop rassurant.

– Tiens, c'est justement l'entrée de mon bar ici. Quand tu te présenteras devant le surveillant, dis « DJ ». C'est le mot de passe pour lui faire comprendre que je reçois des invités. Et tu n'auras pas à faire la file.

– À quelle heure est-ce que je devrais arriver ?

– À minuit, me précise-t-elle, si tu veux rencontrer Monika.

Monika ? Est-ce que c'est elle, sa meilleure amie ? J'ai un pincement au cœur. Suis-je jalouse ? Envieuse de leur relation, des secrets qu'elles gardent l'une pour l'autre... J'aimerais tant connaître plus Frédérique, moi aussi.

– Si ça te tente, tu pourrais dormir chez moi après, on pourrait profiter de la piscine au bar.

Je m'étonne :

– De la piscine ! Il y a une piscine dans ton bar !

Je n'en reviens pas. C'est bien beau entrer dans un bar et dormir chez elle, mais reste que je devrai mentir à mes parents. ENCORE... Je ne suis même pas certaine de vouloir accepter.

Indécise, je passe devant l'établissement en pierres. Frédérique m'explique qu'elle travaille comme serveuse depuis que son père l'a mise à la porte, à seize ans, à cause de son orientation sexuelle. Je m'étouffe. Elle fait une pause et continue son récit en marchant.

Une tante l'a hébergée, à Montréal, sans la juger. Elle a déniché un emploi et a loué un appartement avec sa première copine. Depuis, elle a toujours été serveuse.

Frédérique se tait, l'air sombre, et emprunte une rue transversale. Je la suis. Tout se bouscule. Impossible de comprendre ce qui pousse un parent à renier son enfant. Mes parents en seraient-ils capables ? Non. Je ne me les représente pas me demander de faire mes valises. Pourtant, le père de Frédérique l'a fait. C'est donc possible...

Une envie de hurler me prend, mais je me retiens. Son histoire m'ébranle, m'attriste beaucoup. À vrai dire, j'ai pitié de Frédérique. Je l'imagine, toute seule, ses effets personnels dans un sac, perdue au milieu de nulle part.

Je la regarde marcher d'un bon pas, confiante, belle à croquer, et j'ai envie de la rassurer, de l'aimer pour lui faire oublier son père. Seul un monstre peut détester son enfant à cause de ce qu'il est vraiment.

Frédérique parle-t-elle à ses parents depuis qu'ils l'ont obligée à partir ? Sa mère approuve-t-elle son mari ? De quelle manière Frédérique a-t-elle réussi à s'en sortir sans déprimer ? J'aimerais tant qu'elle me parle, qu'elle se confie, mais elle a une mine triste et reste muette en me montrant le chemin.

Quand même, elle doit avoir toute une force de caractère, des nerfs d'acier, pour avoir survécu à cette épreuve. Je l'admire, charmée. Tout à coup, elle s'exclame, sans se retourner.

– C'est ici !

J'entrevois des escaliers en colimaçon. Mon désarroi fait place à la peur. J'ai toujours détesté ce type d'escaliers. J'ai toujours craint de passer à travers les fentes entre les marches. Découragée, j'essaie de ne pas regarder le vide et de monter en m'accrochant à la rampe. Je hais les hauteurs.

Pendant que Frédérique cherche sa clé, j'arrive finalement derrière elle, heureuse qu'elle n'ait rien remarqué. Je camoufle mes faiblesses facilement jusqu'à maintenant. Elle ouvre et je passe ma tête dans l'encadrement, dévorée par la curiosité. Je sens immédiatement une grande fraîcheur saisir mon corps.

Un long couloir blanc me fait face. À ma droite, j'aperçois un salon avec un gros fauteuil en cuir noir, une table carrée et, devant, un téléviseur. La pièce est accueillante malgré sa taille modeste. Des chandelles sont disposées un peu partout. L'endroit me rassure, m'invite.

– Fais comme chez toi. Je me prends une bière. Toi ?

Quoi demander ?

– Un verre d'eau, s'il te plaît.

– OK, fait-elle, perplexe.

Frédérique disparaît dans le couloir. Je l'entends ouvrir le réfrigérateur, puis des verres s'entrechoquent. J'en profite pour examiner ses chandelles. Inodores, elles flottent sur un fond d'eau dans des vases minuscules. Je m'installe sur le fauteuil rigide en lissant ma jupe trop courte. Des fleurs blanches aux contours rouges sont disposées au centre de la table et la pièce exhale un délicieux arôme.

Tout à coup, le plancher craque. Frédérique revient. Je défais le premier bouton de mon chemisier.

Elle me tend mon verre d'eau en souriant.

Je la remercie timidement.

– À ta santé, me dit-elle en engloutissant une énorme gorgée de bière.

Elle s'assoit TRÈS près de moi.

Je bredouille :

– J'aime bien tes fleurs.

– Des géraniums. L'amour et le doute, lance-t-elle.

Frédérique se penche et sent son bouquet, perdue dans ses pensées. À quoi songe-t-elle ? Je frotte mes bras. Ma sueur s'est transformée en glace.

– As-tu froid ?

– Non, je frissonne.

– Attends, ordonne-t-elle en se levant. Je vais diminuer la force du climatiseur et me prendre une autre bière.

Déjà ! Voilà, elle repart subito presto. Me fuit-elle ? Je frotte mes bras de plus belle.

De retour au salon, munie d'une nouvelle bière, Frédérique allume les chandelles à l'aide d'un briquet argenté. Pendant qu'elle s'affaire sur la dernière, au-dessus du téléviseur, je sens, derrière moi, une odeur de brûlé. En me retournant, je constate que les deux bougies se sont éteintes. Bizarre... Frédérique le remarque, sacre :

– Calv...

Ma mère aurait eu une syncope en l'entendant. Que de différences nous séparent ! J'imagine que travailler dans un bar n'aide pas à bien s'exprimer. Chose certaine, je ne ferai JAMAIS comme elle. Mieux vaut garder une belle image de soi.

Frédérique rallume les chandelles et les surveille. Satisfaite, elle lance son briquet sur la table et s'assoit près de moi. Elle caresse sa bouteille en me détaillant.

On dirait qu'elle m'imagine sous ses doigts. Je souris maladroitement. Elle dirige alors son menton pointu vers moi et me dit :

– Toi, c'est quoi ton genre de fleurs ?

– Je ne sais pas trop, que j'essaie de répondre, les joues en feu.

– Voyons, Léa, es-tu le genre de fille qui n'a pas d'opinion ? Parce que j'en ai déjà connu une, comme toi, qui voulait que je pense à sa place, pour me plaire, j'imagine... mais ça me tapait sur les nerfs.

Je riposte immédiatement :

– C'est juste que je ne suis pas experte en matière de fleurs. Je pense que j'aime les roses.

Wow ! Des roses. Très original ! J'ai l'air d'une vraie nunuche !

– Ah oui ? Quelle couleur ? s'intéresse-t-elle soudain.

Est-ce si important de le préciser ? Je ne comprends pas cet intérêt pour mes goûts floraux. Qu'est-ce que ça signifie pour elle ? Je réponds, incertaine :

– Rose.

Frédérique sourcille. Ai-je choisi la bonne couleur ? Qu'est-ce que ça veut dire ?

– La gentillesse... comme toi, me précise-t-elle doucement.

Je m'étonne.

– Comment tu fais pour connaître les significations des fleurs ?

– Ma mère est fleuriste. Veux-tu autre chose, parce que tu ne bois pas ton eau ? me demande-t-elle.

– Non merci !

En fait, j'ai envie d'aller aux toilettes. Grosse nouille ! J'aurais dû y penser quand on était au restaurant. J'ai comme un malaise... Trop d'informations que je ne veux pas lui transmettre en ce moment.

Sans prévenir, Frédérique caresse ma cuisse.

– Viens, Léa, on va dans ma chambre. Il faut que je me change pour aller travailler.

Ma belle se lève et disparaît dans le couloir, le sourire en coin. Elle s'engouffre dans une pièce. Anxieuse, je la rejoins. Veut-elle qu'on s'embrasse ?

J'humecte mes lèvres à cette idée.

J'observe sa chambre. Elle est minuscule. Une petite fenêtre et un lit immense me font face. Lorsque je lève les yeux au plafond, mon souffle se coupe court. SURPRISE ! Un miroir y est fixé. Je transpire. Trop intense pour moi.

– Tu peux t'asseoir sur le lit si tu veux, au lieu de rester dans le cadre de porte.

Est-elle toujours aussi directe ? Je déteste qu'on me dise quoi faire.

J'entre dans la pièce à reculons et m'assois à l'extrémité du lit. Elle lance une jupe noire dessus. Je note un bureau en mélamine blanc et une chaise noire. Un portable traîne par là.

Un bustier rouge atterrit sur mes cuisses.

– Bon, déclare Frédérique, aide-moi à choisir.

Elle sort une robe ténébreuse de son placard, qui déborde de vêtements pêle-mêle, et la place devant elle pour me montrer le résultat. Que veut-elle que je choisisse ? Je lui avoue :

– J'aime beaucoup ton bustier. Avec tes souliers et ta jupe, tu serais belle.

Mon visage s'empourpre. J'inspire profondément. Elle s'exclame, rayonnante :

– Bonne idée ! Le rouge attire les hommes. Ils sortiront plus facilement leurs billets.

Sans attendre, elle retire sa camisole et fait glisser sa jupe. Est-elle en train de me faire un *strip-tease* ? Malaise encore. Je ne sais plus où regarder. Dois-je quitter la chambre ? J'aimerais admirer son corps, mais mon sang bout dans mes veines. Je me lève et me fige sur place quand Frédérique me demande de rester.

Je me rassois. De toute manière, j'ai les jambes molles et je suis curieuse. C'est TELLEMENT intimidant ! Pourquoi ne peut-elle arrêter de me fixer avec ses yeux sombres ?

Frédérique porte un soutien-gorge pigeonnant. Sa poitrine menue semble ferme et ses abdominaux, je n'en parle pas... Je soupire en refusant de m'attarder sur le sujet tellement je suis troublée. D'un coup de pied, elle envoie sa jupe à l'autre bout de la chambre. Assez bordélique comme fille... Tout le contraire de moi. Agacée, je pose mes yeux sur sa petite culotte en dentelle. Ouf ! J'ai envie de caresser son corps. Arrête, Léa !

Je continue de l'examiner. Ses jambes, courtes, sont hyper belles. Ma respiration s'accélère. Je décide alors de rompre le silence pour éviter qu'elle le remarque.

— Fais-tu beaucoup de sport ?

Enfin. Je réussis à parler normalement.

— Non, précise-t-elle. Mais, comme je suis toujours en train de courir en arrière du bar, ça me tient en forme. Donne-moi le bustier et la jupe, Léa.

Je suis à l'autre bout du lit. Fait-elle exprès de me donner des ordres ? Je me lève et m'approche pour lui tendre ce qu'elle m'a demandé. Elle passe rapidement son haut par-dessus sa tête et place ses seins à l'intérieur pour les montrer le plus possible. Puis, elle enfile sa jupe et se chausse.

– Alors ? Comment me trouves-tu ?

Frédérique écarte les bras et s'offre à mon regard. Elle est magnétique et moi, pathétique. J'ai l'impression qu'une vague de désirs s'empare de mon corps et que je perds le contrôle. Elle est tellement chaude comme fille !...

– C'est parfait, que je lui mentionne en fixant sa poitrine.

Elle sourit et s'avance doucement vers moi. Je plante mon regard dans le sien. Que va-t-elle faire ?

– Sais-tu pourquoi j'ai acheté un aussi grand lit, Léa ?

La voix de Frédérique est suave. Trop. Peut-elle garder cette information pour elle ? Veut-elle m'embarrasser ? Elle ajoute, à quelques centimètres de moi :

– J'aime bien avoir de la place pour faire l'amour.

Je me sens fondre. Frédérique s'amuse. Qu'est-ce qu'elle fait au juste en caressant le haut de mon chemisier ? Elle ne va quand même pas me déshabiller.

– Tu ne devrais pas défaire tes boutons. Tu pourrais me tenter...

Ses lèvres m'attirent. J'ai envie de l'embrasser, mais je ne veux pas aller trop vite. Je déglutis et la remercie en reboutonnant mon haut. Je lui demande en bégayant :

– Veux-tu que je t'accompagne jusqu'à ton bar ?

Frédérique ajuste le bas de son bustier par-dessus sa jupe et me répond, visiblement contrariée :

– Je dois aller me maquiller avant. Attends-moi dans le salon.

Elle passe à côté de moi et s'enferme dans la salle de bains. MERDE ! J'aurais peut-être dû la toucher ! J'ai une peur atroce de ce qui peut arriver, de ce que je pourrais ressentir. Elle est cool, mais je n'ose pas faire les premiers pas. C'est si soudain...

Ma vessie va finir par exploser et me rappelle à l'ordre. Je me dirige vers la porte et l'attends en me promettant que, après l'avoir conduite à son travail, je retournerai au restaurant pour aller aux toilettes. J'en ai pour un moment.

Frédérique hurle :

– J'arrive. Je mets du mascara.

Elle traverse le corridor et disparaît de nouveau dans sa chambre. Quoi encore ! Elle revient avec son sac en bandoulière.

Elle me pousse gentiment vers la sortie. Je frissonne en sentant son parfum. En passant la porte, je replonge dans un four. Le temps que Frédérique verrouille et que je descende quelques marches, des gouttes de sueur perlent entre mes seins. Et c'est reparti...

Je me concentre en faisant face au fameux colimaçon. Frédérique ricane dans mon dos.

– Léa, as-tu peur de tomber ou quoi ?

Une fois en bas, j'inspire profondément afin de ravaler mon agacement. J'ai hâte d'arriver au restaurant.

– Viens, ma peureuse, se moque-t-elle en me prenant par le bras.

Deux pâtés de maisons plus loin, elle me tient toujours par le bras. Je ressemble à une statue qui tente de marcher. C'est la première fois que je me promène avec une femme qui me plaît autant et elle me touche en public... Heureusement, je ne suis pas dans ma banlieue. Personne ne me connaît ici.

Frédérique sourit. Au bout de la rue, je distingue la porte d'entrée du bar. Je fixe ce point avec obstination. De cette manière, j'évite les regards des passants. Que pensent-ils en nous remarquant ? Que nous sommes deux perverses ? Deux femmes qui s'aiment ou deux bonnes amies ?

En m'approchant de l'établissement, je me rends compte qu'un homme se tient devant le grillage. Bizarre. Il n'y était pas quarante minutes plus tôt.

Imposant, musclé comme un gorille, chandail blanc TROP moulant, il discute avec deux blondes plantureuses. Nous arrivons près de lui. Frédérique abandonne mon bras. Je recommence à respirer. Elle s'adresse à Monsieur muscles.

– Salut bébé ! Je te présente Léa, ma copine.

Mes oreilles bourdonnent. Je n'arrive pas à y croire. Elle vient de dire que je suis sa COPINE ! Qu'est-ce que ça signifie pour elle ? Me considère-t-elle comme son amoureuse ou une amie ? N'est-ce pas trop rapide de nous identifier comme des amoureuses ? Est-ce le cas ? Je capote.

Gros biceps me salue d'une voix creuse aussi vide que sa tête semble l'être. Il m'examine de long en large. Ça m'énerve... Frédérique se tourne vers moi et me demande :

– Viens-tu vendredi ?

Je m'empresse de répondre :

– Oui, oui !

– OK, alors on se voit bientôt.

Elle s'approche. Je regarde autour, paniquée. Une tonne de clients fait la queue. Ça y est. Elle considère que je suis sa blonde. Va-t-elle m'embrasser pour vrai ?

Frédérique touche mes bras de ses mains glacées, puis dépose ses lèvres sur ma joue, très près de ma bouche. Tellement que je sens l'odeur de sa gomme. Au passage, elle chuchote dans mon oreille :

– À plus, ma belle !

Elle rit en se retournant et caresse le torse du gorille en passant devant lui. Je marmonne un salut. Ma vessie m'interpelle de nouveau. Tête vide me fixe de ses yeux noirs. Sans plus attendre, je m'enfuis à grands pas jusqu'au restaurant.

Après être allée aux toilettes, je quitte le restaurant, encore excitée par les derniers moments que je viens de passer. Je me dirige immédiatement vers le marché central. Ma voiture est stationnée tout près. Je déambule en songeant à Frédérique. Elle semble m'apprécier. Du moins, c'est ce que j'ai ressenti. Dire que, deux heures auparavant, je pensais mourir tellement j'avais peur de la rencontrer.

Elle est si différente de ce que j'avais imaginé. Son côté autoritaire m'énerve, mais j'adore son rire. J'envie sa légèreté et son assurance. Que dire de la force qu'elle dégage. Pas croyable que ses parents l'aient chassée...

Je me remémore alors son corps et frissonne juste d'y penser. Des fourmillements me chatouillent partout. Est-ce de l'amour ? De la curiosité ? Sais pas.

Quand j'y repense, j'ai quand même été chanceuse que mon plan fonctionne.

Je ris en songeant à quel point j'étais angoissée quand j'ai cru qu'elle était en retard, ou pire, qu'elle allait me poser un lapin. Je n'en reviens pas encore d'être allée chez elle, de l'avoir vue en sous-vêtements. De quoi a-t-elle l'air quand elle les enlève ? Gênée de me représenter son corps nu, je me vois avec elle, dans la piscine du bar. Bâtard ! Je dois m'y rendre dans une semaine et dormir chez elle. Mon excitation disparaît. J'aurai à faire preuve d'imagination.

J'aperçois la voiture de ma mère, m'y enferme et démarre. Mes parents... Que feraient-ils s'ils découvraient mon secret ? Me demanderaient-ils de faire mes valises ? M'abandonneraient-ils, en larmes, sur le perron de ma maison ? Je n'arrive pas à le concevoir. Ils m'aiment. Je suis leur unique enfant. Ce n'est pas parce que Frédérique et son père ne se parlent plus que le mien réagirait de même. Sérieusement, envisager de leur avouer mon homosexualité me semble infaisable.

Pourtant, j'ai lu plein de témoignages d'autres lesbiennes sur Internet et ils n'étaient pas tous négatifs. Beaucoup d'entre elles ont fait leur *coming out* sans perdre leur famille. L'histoire de Frédérique m'a décidément ébranlée.

Je roule tranquillement. La fatigue se fait sentir. Mon lit m'appelle. J'aimerais dormir...

Le visage d'Ariane apparaît devant mes yeux. Demain, elle me posera un millier de questions. Décourageant. Mentir à mes parents est difficile. Mentir à ma meilleure amie est atroce. Je dois être la seule fille dans l'univers qui ne peut pas se confier à ses amis. Qu'est-ce que je donnerais pour un moment de confidence ! J'aimerais tant leur raconter ma soirée, les émotions qui se sont emparées de moi quand Frédérique m'a embrassée sur la joue. Comment réagiraient-ils si j'osais briser le silence ? Ariane s'imaginerait-elle que je lui ai menti en croyant que je suis amoureuse d'elle ? Me pardonnerait-elle mes cachotteries ? Me ferait-elle confiance à l'avenir ? Alexis et elle accepteraient-ils de s'afficher avec une lesbienne à l'école ? S'ils le faisaient, risqueraient-ils d'être intimidés ? Je préfère jouer mon rôle d'hétéro jusqu'à la fin de l'année.

En roulant, j'essaie de me convaincre que je suis normale, que j'ai le droit, moi aussi, d'aimer quelqu'un, que je ne suis ni dangereuse ni contagieuse. Si je m'affiche, je risque d'être pointée du doigt, harcelée... et quoi encore. C'est fou comme certains peuvent être dérangés par la différence. Je n'ai pas tellement envie d'être méprisée.

Les arbres défilent. L'envie de fermer les yeux me taraude. Fermer les yeux et oublier ce que je suis, pour que disparaissent tous mes mensonges...

CHAPITRE 3

Ariane et Alexis

Ariane est ma meilleure amie depuis que nous sommes toutes petites. C'est elle qui m'a consolée lors de ma première rentrée scolaire. J'étais en pleurs, craignant de me perdre dans une grande école qui ne ressemblait en rien à la garderie où j'avais passé ma petite enfance. En classe, assise à côté de moi, elle a remarqué mes cils mouillés. Quand notre enseignante nous a annoncé qu'il était l'heure de la récréation, Ariane m'a emprisonné la main, m'a chuchoté qu'elle serait toujours ma meilleure amie et m'a entraînée aux balançoires. Ma peine s'est envolée...

À partir de là, nous étions jumelles, inséparables. Il faut croire que le hasard a bien fait les choses en nous réunissant.

Au fil des ans, à l'école, nous nous isolions souvent à la bibliothèque pour tuer le temps. Nous détestions les sports d'équipe ; en revanche, nous aimions lire des bandes dessinées, épaule contre épaule, derrière une grande étagère, ce qui nous permettait de rire en cachette. Je passais toutes mes journées avec elle. Deux vraies sœurs.

En cinquième année, notre relation a commencé à changer. Contrairement à moi, Ariane s'est mise à s'intéresser aux garçons et elle m'en parlait constamment... Mon amie me rendait folle. Pourquoi ? Parce que, de mon côté, je préférais jouer. AUCUN gars ne m'attirait. Je les trouvais tous stupides.

La plupart du temps, quand Ariane ramenait le sujet sur la table, je détournais la conversation, voulant ainsi éviter qu'elle perçoive mon malaise ou qu'elle découvre mon inquiétude. À l'époque, je m'interrogeais déjà un peu. Étais-je normale ? Pourquoi les gars n'attiraient-ils pas mon attention ? Comment se faisait-il que j'avais encore envie de jouer comme une gamine ?

Un an plus tard, au début de notre sixième année, notre relation n'était plus exclusive. Dans notre classe, Ariane a remarqué un nouvel élève : Alexis. Il nous dépassait d'une tête, avait des cheveux noirs, presque bleus, et sa peau était hâlée. Ses seuls défauts, aux yeux des autres : sa timidité et son air intellectuel.

Les premiers jours d'école, Alexis avait toujours le nez dans ses livres pour éviter de croiser le regard des autres élèves. Pure coïncidence, notre enseignante a placé son bureau près de nous deux. Comme Ariane le trouvait mystérieux, elle a décidé, sans m'en parler, de le prendre sous son aile. Je crois surtout qu'elle avait pitié de lui. Il passait ses récréations près de la porte d'entrée.

Un midi, elle l'a invité à notre table de la cafétéria sans même me consulter. Je devais donc partager mon amie. Dans la journée, elle l'a encouragé à se joindre à nous... partout. Même dans NOS BALANÇOIRES !

Au début, j'étais jalouse de l'attention qu'elle lui portait, mais je ne réussissais pas à le détester. Alexis faisait peine à voir, particulièrement quand les garçons de l'école le traitaient de « fif ». En l'incluant dans nos jeux, j'ai découvert qu'il était émotif et très comique lorsqu'il osait sortir de sa carapace. Je me suis alors attachée à lui.

Dès octobre, Ariane, Alexis et moi formions un trio, mais j'étais divisée quant à cette nouvelle réalité. Le fait qu'Ariane ait intégré une autre personne dans nos jeux m'attristait beaucoup. Je croyais sincèrement que nous étions inséparables et intouchables. Par contre, Alexis, tout comme sorti d'une boîte à surprise, réussissait à me faire rire comme personne et il devinait mes émotions sans même me parler. Grâce à lui, c'était évident, nous étions plus heureuses.

Naïvement, cette année-là, je me suis convaincue que plus rien ne pourrait changer. Que nous serions toujours des amis. Pourtant, tout allait changer au début du mois de juin, à la fin de notre primaire, quand Alexis nous a invitées à son anniversaire.

Le jour dit, il pleuvait des cordes. Mon père et moi sommes passés prendre Ariane. J'étais excitée à l'idée de me rendre chez Alexis pour la première fois. Quel choc en voyant mon amie ! Elle était vêtue d'une robe fleurie et ses cheveux bruns étaient parfaitement bouclés. Pour ma part, je portais un jeans usé, un chandail à manches courtes et une veste sport.

Ariane s'est assise sur le siège arrière et a déposé son cadeau à côté d'elle pour ne pas froisser sa robe. Mon père s'est immédiatement exclamé, les yeux ronds comme des soucoupes :

— Wow, Ariane ! Tu es magnifique !

Elle l'a remercié en chuchotant, intimidée.

Je me suis retournée vers elle. Rouge comme une tomate, elle a bougonné :

— Quoi ?!

— Rien, répliquai-je. J'aurais aimé que tu me dises qu'il fallait s'habiller chic.

Mon père a démarré la voiture. Il est sorti de notre quartier pour prendre une route plus achalandée. Ariane a replacé ses boucles sur ses épaules en les enroulant autour de ses doigts avant de préciser avec un ton faussement détaché :

— Ma mère m'a acheté ma robe hier. J'avais juste envie de la mettre, c'est tout...

– Ouin..., ai-je marmonné.

Elle mentait. Son visage changeait toujours de couleur dans ces moments-là.

– Assieds-toi comme il faut, Léa, m'a sermonnée mon père, mettant fin à ma conversation.

Je suivais les essuie-glaces des yeux en m'interrogeant sur les motifs d'Ariane. Voulait-elle impressionner les cousins d'Alexis ? Souhaitait-elle que je sois moins belle qu'elle ? Avoir su, j'aurais au moins revêtu un chemisier propre... En grognant, j'ai resserré ma queue de cheval. Décidément, elle ne me consultait plus pour prendre ses décisions. Chose qu'elle faisait pourtant avant ! Frustrée, je suis restée muette une bonne partie du trajet.

Le quartier d'Alexis se trouvait près de notre école primaire, à dix minutes de nos demeures respectives. Sa famille et lui étaient déménagés dans ce secteur parce que ses parents désiraient que leur fils puisse jouer avec d'autres enfants, ce qui n'était pas possible là où ils vivaient auparavant. Du coup, Alexis avait perdu ses deux meilleurs amis, qu'il voyait rarement. Au début du mois, il nous avait annoncé, tout heureux, que ces deux garçons seraient présents à son anniversaire, en plus de ses cousins et de ses cousines. Ariane et moi ne connaissions personne. J'étais horriblement stressée.

Mon père s'est garé en face de la maison. Des ballons, de multiples couleurs, étaient accrochés à la boîte aux lettres. Combien de personnes y avait-il à l'intérieur ? Étaient-elles toutes habillées proprement ? J'ai remonté la fermeture éclair de ma veste, appréhendant le moment où j'allais rencontrer la famille d'Alexis. Que feraient-ils s'ils ne m'aimaient pas ? Aurais-je le droit de venir chez lui de nouveau ? Et si Alexis détestait mon cadeau ?

– Je reviens vous chercher à quinze heures, c'est ça ? me demanda mon père, interrompant mes pensées.

– Oui, papa, dis-je, distraite. Peux-tu ouvrir le coffre, je vais prendre mon cadeau.

– Amusez-vous, les filles ! chantonna-t-il, heureux de se retrouver seul à la maison pour quelques heures.

Ariane s'est aussitôt précipitée à la porte sans m'attendre. Déçue de son attitude, j'ai pris mon paquet, refermé le coffre de la voiture et marché sous la pluie avant de rejoindre ma meilleure amie. J'étais trempée. Au moins, j'avais eu la brillante idée de m'attacher les cheveux. Ceux d'Ariane étaient sublimes malgré l'humidité.

– Tu aurais pu m'attendre, lui reprochai-je soudainement.

– Je ne voulais pas mouiller ma robe. Et change d'air, Léa...

Ariane s'est retournée, sans plus d'explications, et a appuyé sur la sonnette. Quoi ! À ce moment, je me suis rendu compte qu'elle avait mis du vernis rose sur ses ongles. Pourquoi avait-elle fait ça ? Qu'est-ce qui lui prenait tout à coup ?

Quand la mère d'Alexis a ouvert la porte, je fronçais les sourcils, la bouche ouverte, sur le point d'exiger des explications d'Ariane. Je me suis tue en serrant les poings et en plantant un sourire sur mon visage.

La mère d'Alexis était petite et perchée sur de superbes talons hauts argent. Elle avait les cheveux aussi foncés que ceux de son fils, lisses et brillants. Élégamment vêtue, elle souriait de ses dents éclatantes. Je faisais pitié.

– Bonjour, les filles ! s'exclama-t-elle. Enfin, je rencontre les deux amies de mon fils. Entrez...

Une demeure impeccable et parfaitement décorée. Ariane et moi sommes restées immobiles sur le carrelage en céramique, en train de scruter les lieux.

– Donnez-moi vos cadeaux, nous suggéra la mère d'Alexis en agitant ses bagues sur ses doigts manucurés. Je vais vous débarrasser.

Elle a pris nos boîtes, cachant, par le fait même, la moitié de son corps, et est allée les déposer sur une table dans la salle à manger. Enjouée, elle a ajouté :

– Bon, les filles, on descend au sous-sol.

D'en haut, nous entendions des rires, des cris, des voix d'adultes et d'enfants, entremêlées. Une fois en bas, je me suis figée. Ariane aussi. Au moins une vingtaine de personnes, de tous âges, étaient déjà réunies. Quand j'ai vu que les invités braquaient leurs yeux sur nous, j'ai blêmi. Que penseraient-ils de nous ? Savaient-ils que nous étions invitées ?

La mère d'Alexis s'est alors aperçue que nous ne bougions plus et est revenue vers nous.

– Venez, les filles, insista-t-elle. Alexis est au salon. Il est déjà en train de jouer à la course.

Quelle course ?

Elle nous a fait signe d'avancer, ce que nous avons fait rapidement pour nous soustraire aux regards.

– Assoyez-vous ici. Alexis ! clama-t-elle, mets ton jeu sur pause, s'il te plaît.

Le fêté était assis en face du téléviseur, une manette entre les mains. À ses côtés se tenait un géant, aux cheveux plus pâles que lui. En jetant un rapide coup d'œil à l'assemblée, j'ai constaté que la majorité des invités avait l'épiderme basané. Nous détonnions, Ariane et moi. Après nous avoir présentées au groupe, la mère d'Alexis est repartie rejoindre ses convives. Les garçons et les deux seules filles autour de nous s'agitaient sur leurs fauteuils, souhaitant sûrement connaître au plus vite l'identité du gagnant de la course. Alexis nous a gratifiées d'un sourire et a rougi en observant Ariane. Cette réaction m'a déplu, car elle prouvait que je n'avais pas rapport parmi des chemisiers et des pantalons propres. J'ai boudé en m'assoyant sur un fauteuil.

Alexis a alors bégayé :

– Euh... vous... vous devez courser contre... contre moi et si vous ga... gagnez, vous recevez un cou... coupon pour une sur... prise.

Depuis quand bégayait-il ?

– Merci, Alexis, roucoula Ariane.

Qu'avaient-ils, ces deux-là ? Pourquoi étais-je la seule à remarquer que quelque chose clochait ?

– De rien, ajouta Alexis, timide.

Il a recommencé à jouer comme si de rien n'était. La peau de mon cou me démangeait.

L'heure qui a suivi notre arrivée a été ponctuée de cris et de bousculades entre les joueurs. Peu d'entre eux ont remporté leur course contre Alexis. Quand mon tour est arrivé, je comprenais à peine le fonctionnement de la manette. À mes côtés, le bégaiement d'Alexis avait bizarrement disparu et il en profitait pour me pousser en jouant. Évidemment, il a gagné.

Le dernier concurrent a été Ariane. Elle s'est assise près d'Alexis en prenant le temps de replacer sa robe sur ses genoux et s'est fait doucement expliquer le fonctionnement de la manette. Pourquoi Alexis prenait-il le temps de l'aider à comprendre le jeu quand il m'avait presque fait tomber de mon siège quelques minutes plus tôt ? J'enrageais. Le pire était que les deux amis d'Alexis faisaient des simagrées devant l'écran pour lui montrer l'utilité de certaines armes. J'ai eu envie de leur hurler que c'était injuste, que je n'avais pas eu droit au même traitement, mais je me suis retenue. À quoi cela aurait-il servi ? J'ai préféré me taire dans mon coin en les observant.

Étrangement, Alexis était tranquille. Pas de coups de coude ni de cris. Il restait collé à Ariane. Seuls ses cousins parlaient à sa place... pour encourager Ariane. J'aurais pu m'étouffer avec une croustille que personne ne m'aurait vue.

Ariane a gagné la course et a accepté les félicitations du groupe. Je me suis bien gardée de l'acclamer. Lorsque Alexis lui a remis son billet pour le cadeau-surprise, elle a fait glisser ses doigts sur la main du fêté, qui est aussitôt devenu cramoisi. Mon amie est revenue s'asseoir près de moi en souriant. Je me suis rapprochée d'elle et lui ai chuchoté à l'oreille, mécontente :

– Qu'est-ce que tu fais ?

– Quoi ? répondit-elle innocemment.

– Arrête, Ariane, tu joues à quoi là ?

– Parle moins fort, Léa... je t'expliquerai plus tard.

– Bah ! C'est ça, ruminai-je. Je vais aux toilettes.

Je me suis levée et engouffrée à toute vitesse dans la salle de bains pour être tranquille. Ma tête allait se fendre en deux. Il faisait tellement chaud dans le sous-sol.

Je me suis approchée de l'évier pour boire à même le robinet. En relevant la tête, j'ai découvert que des plaques rouges avaient surgi partout sur mon cou. Je pouvais en déceler plein sur mon visage. « Pas maintenant ! » Et Ariane ne m'avait rien dit !

J'ai pris une débarbouillette et l'ai passée sous l'eau. La sensation de froid sur ma peau m'a fait du bien, mais les rougeurs ont persisté. J'ai descendu la fermeture éclair de ma veste pour vérifier l'étendue des dégâts : j'en avais partout !

Paniquée à l'idée que tous les invités s'en aperçoivent, j'ai décidé de rentrer chez moi. Remontant ma fermeture éclair le plus haut possible, je suis sortie. Mes yeux ont cherché la mère d'Alexis. Elle était près de la table où avaient été placées les assiettes du buffet froid. Mon estomac criait famine, mais je n'avais pas le temps. Je me suis ruée sur elle.

– Pardon, madame...

Ses yeux m'ont enveloppée d'un regard bienveillant.

– Est-ce que je peux téléphoner à mon père ?

– Est-ce que ça va ?

– Non. Je dois lui parler d'un petit problème... si ça ne vous dérange pas.

– Non, non, ma belle, me rassura-t-elle. Suis-moi à l'étage.

Rapidement, j'ai jeté un coup d'œil à Ariane pour qu'elle m'accompagne, mais elle était concentrée sur les motifs fleuris de sa robe. Je les lui aurais fait manger ! Tant pis pour elle !

Au salon, j'ai pris le téléphone sans fil que m'a tendu la mère d'Alexis en la remerciant d'une voix étouffée.

– De rien, ma belle. Tu n'auras qu'à déposer l'appareil sur la charge après.

Elle a souri, compatissante. Mes plaques rouges devaient me recouvrir tout le visage. Elle est descendue. En composant mon numéro, je me suis aperçue qu'il ne pleuvait plus. Mon père a répondu à la troisième sonnerie, tout enjoué.

– Oui allô !

– Papa, gémis-je, peux-tu te dépêcher et venir me chercher chez Alexis ?

– Qu'est-ce qui se passe ?

Le ton de sa voix était plein d'appréhension.

– J'ai des plaques partout.

– Est-ce que ça va, ma puce ?

– Oui. Peux-tu te dépêcher, je vais t'attendre dehors.

– J'arrive.

Sans me saluer, il a raccroché.

J'ai déposé l'appareil et je suis sortie sur la véranda. L'air frais m'a enveloppée, calmée. C'était vraiment une mauvaise journée. De la pluie pour commencer, Ariane sur son trente-six ensuite, un jeu que je ne maîtrisais pas et des rougeurs. Quelques minutes plus tard, j'ai vu la voiture familiale arriver au coin de la rue. J'ai descendu l'allée en courant et je suis presque tombée à cause de la chaussée glissante. J'ai eu envie de m'effondrer et de pleurer. J'étais à peine assise dans l'automobile que mon père a démarré.

Une fois chez moi, j'ai pris une douche glacée en pleurant, déçue des réactions de mon corps, de n'avoir pu remettre le cadeau acheté pour Alexis et du silence d'Ariane. Que me cachait-elle, celle-là ? Pour me changer les idées, j'ai écouté une comédie avec mon père en buvant ma limonade préférée, celle qu'il me concoctait avec amour quand j'étais stressée. Mes rougeurs ont disparu en une heure. Une chance que ma mère était partie avec une amie. Ça faisait mon affaire, je ne voulais pas passer au confessionnal.

Mon père comprenait, lui. Il restait à côté de moi et essayait de me faire rire. Je le trouvais drôle quand il déposait ses deux mains sur son ventre gonflé. Elles sautaient dans les airs quand il s'esclaffait. Sa stratégie a fonctionné : après un instant plus ou moins long, j'ai fini par oublier. Court répit, malheureusement...

Lorsque ma mère est rentrée, visiblement, elle ne s'attendait pas à me voir assise sur le fauteuil. Elle a déposé ses effets sur la table près de la porte et m'a interrogée aussitôt.

– Tu n'es pas chez Alexis ?

– Bonjour, chérie...

Mon père, le regard malicieux, a pris la parole. J'imagine qu'il voulait faire diversion pour me laisser le temps de réfléchir. Il a ajouté :

– As-tu trouvé ce que tu cherchais ?

– Non, répliqua ma mère.

Elle me fixait et a continué son interrogatoire maternel.

– Est-ce que la fête est déjà terminée ?

– Oui, s'exclama mon père tandis que je regardais attentivement la télévision.

– Pourquoi ?

Ma mère lâchait difficilement prise.

Mon père, maître dans l'art de la diversion grâce à ses années d'expérience en enseignement, a répondu à ma place.

– Les jeunes ont remis les cadeaux en mangeant et les filles s'ennuyaient. Je suis allé les chercher plus tôt que prévu. Veux-tu écouter le film avec nous, Mel ?

Mon père a souri à ma mère, plein de sous-entendus dans la voix, et s'est tapé les cuisses. Elle a ri et précisé :

– Non merci. Je viens juste changer de vêtements. Je repars avec Isabelle, on va souper au vietnamien.

J'ai regardé mon père en le remerciant du regard. Comme nous étions seuls pour la soirée, mon père a commandé de la pizza et des frites. J'allais me régaler ! Ma mère cuisinait toujours santé. Alors, j'en profitais.

Le livreur a apporté la pizza et nous avons commencé à manger. Le téléphone a sonné. Trop absorbée, j'étais loin de me douter que l'appel me concernerait. Et pourtant, c'était Ariane !

J'ai blêmi. Qu'est-ce que je pouvais bien lui raconter, à elle ? S'était-elle trouvé un moyen de transport ? Était-elle encore chez Alexis ? J'espérais que non. J'ai donc pris le sans-fil à contrecœur en m'engouffrant dans ma chambre. Mon père a continué de dévorer sa pizza bourrée de viandes salées. J'appréhendais la suite.

– Salut.

– T'ÉTAIS OÙ ?

Ariane avait hurlé. Mon oreille bourdonnait.

– J'ai dû partir..., désolée.

– Pourquoi ? J'avais l'air d'une belle dinde toute seule avec les cousins d'Alexis. T'aurais au moins pu m'avertir que tu partais.

– Arrête de parler, Ariane, tu ne me laisses pas le temps de t'expliquer.

– Expliquer quoi ? Que tu étais jalouse !

Je suis restée surprise par ses propos.

– Jalouse ? Jalouse de quoi ?

– De ma robe. Tu ne t'es pas vue dans l'auto de ton père quand je suis montée. Et puis, ce n'est pas ma faute si tu ne t'es pas habillée pour l'occasion, ajouta-t-elle, la voix pleine de reproches.

– Ariane ! Je ne suis pas jalouse. Je suis juste déçue que tu m'aies rien dit, lâchai-je, désemparée.

Silence gênant. Elle était vraiment fâchée. C'était son genre, ce type de réaction. La dernière fois qu'elle s'était mise dans cet état, elle avait sept ans. J'avais brisé un des colliers qu'elle avait confectionnés. Elle m'avait lancé toutes les perles par la tête.

Ariane a soupiré à travers le téléphone et a adouci sa voix.

– Pourquoi est-ce que tu es partie ? J'ai dû aller voir la mère d'Alexis parce que je m'inquiétais.

– Qu'est-ce qu'elle a dit ? demandai-je, intriguée.

– Que tu avais appelé ton père pour lui demander quelque chose. C'est tout.

Le ton de sa voix était sec.

– Je l'ai appelé pour lui dire que j'étais plaquée partout, me plaignis-je.

Deuxième silence. Ariane pigeait maintenant. Elle savait à quel point je détestais ces rougeurs.

– Ah..., souffla-t-elle d'une voix rassurée. Est-ce que ça va mieux ?

– Oui. Mon père m'a préparé sa limonade.

– OK, je comprends.

Après quelques secondes de silence, je lui ai demandé :

– Qu'est-ce que vous avez fait après mon départ ?

– Bien, la mère d'Alexis nous a servi le buffet. On a mangé, puis sa mère a descendu les cadeaux. Je lui ai remis le tien.

– Est-ce qu'il a demandé où je me trouvais ?

Je posais la question, mais, dans le fond, je savais qu'il s'était inquiété de mon départ soudain.

– Oui. Je lui ai dit que tu étais partie plus tôt parce que tu devais aller chez ta grand-mère.

– Il t'a crue ! m'étonnai-je.

– Je ne sais pas. En tout cas, tu n'étais pas la seule à lui avoir acheté le jeu qu'il voulait. Un de ses amis, Sébastien, lui a offert le même.

– Ah oui ? Toi, qu'est-ce que tu lui as offert ?

– Une histoire, m'informa-t-elle sans plus d'explications.

En temps normal, Ariane aimait bien décrire les circonstances entourant ses emplettes, leurs significations. J'ai trouvé ça bizarre et l'ai interrogée à ce sujet.

– C'était quoi ? Un roman ?

– Non, non.

– Quoi ?

– Promets-moi de ne pas rire.

Qu'avait-elle acheté ? Elle m'intriguait.

– Pourquoi ?

– Parce que je lui ai donné une histoire que je lui ai écrite. Je l'ai collée dans un album.

Là, je saisissais. Elle était toujours en train de coller des trucs dans ses cahiers. Elle a ajouté, en tentant de changer de sujet :

– Après, j'ai fait une partie avec ton jeu.

Je la connaissais assez bien pour deviner qu'elle ne voulait plus s'étendre sur le sujet. J'ai insisté.

– Qu'est-ce que tu lui as écrit ?

– Une histoire.

– Oui, mais quel genre d'histoire ?

– Pourquoi est-ce que ça t'intéresse ?

Ariane était énervée. Hum... je commençais à perdre patience.

– Pourquoi est-ce que tu ne veux rien me dire ?

– Parce que je lui ai écrit NOTRE histoire.

Je ne comprenais vraiment rien.

– Hein ?!

– J'ai collé plein de photos de lui et de moi dans son cahier et j'ai écrit une histoire sous les photos.

– Ah oui ! Vas-tu vouloir me faire la même chose pour mon anniversaire ? la priai-je.

– Non..., expira-t-elle.

– Pourquoi ?

– Parce que la dernière photo que j'ai collée, je l'ai mise dans un cœur.

– QUOI ?!

Je me suis étouffée avec ma salive.

– Est-ce que ça va, Léa ?

– Je ne sais pas, dis-je, estomaquée. Je te rappellerai plus tard.

– Quand ?

Je sentais qu'Ariane se faisait du mauvais sang.

– Salut.

J'ai raccroché et je suis retournée dans la salle à manger. Mes frites étaient froides. J'avais perdu l'appétit. Je n'en revenais toujours pas. Elle était amoureuse d'Alexis. Tout s'expliquait. Sa tenue, ses cheveux, ses ongles vernis...

Allais-je perdre ma meilleure amie ? Pourquoi n'étais-je pas amoureuse, moi aussi ? Injustice ! Pour quelle raison ne pouvait-on pas rester amis, seulement amis ? Comment se faisait-il qu'elle m'ait caché ses sentiments pour lui ? J'en voulais à Ariane. Tout changeait si soudainement...

CHAPITRE 4

Tromperie

11 juin

Ce dimanche, la chaleur est plus accablante que la veille. Les nuages, au-dessus de ma tête, menacent d'éclater en morceaux disparates. Je les imagine expulser d'énormes gouttes d'eau qui viendraient nourrir ma peau asséchée.

J'entends un grondement lointain. Heureusement, j'ai le temps d'arriver chez Ariane avant que l'orage commence. J'enfonce ma casquette blanche sur ma tête et me dirige vers la maison de mon amie, à deux coins de rue de la mienne. En trottant, je sens mon sac rebondir sur mon dos. J'y ai caché mon cahier de français, mes textes, mes crayons et mon nouveau collier.

À neuf heures, ce matin, quand Ariane m'a téléphoné, elle m'a spécifié que je devais emmener mon bijou. Sa voix, habituellement enjouée, était cassante. Je savais qu'elle voulait scruter mon collier sous toutes ses formes, mais j'ignorais que cette opération la stressait à ce point. Ses commentaires m'ont rendue nerveuse. Ai-je fait le bon choix ? Devrais-je retourner à la boutique pour dénicher un autre collier ?

Tout en songeant au ton de la voix d'Ariane, j'observe les maisons de mon quartier. Toutes sont des constructions modernes.

Aujourd'hui, la rue est déserte. Je n'entends que le tonnerre.

Après cinq minutes de marche, je vois le toit bleuté de la demeure d'Ariane. Accablée par l'humidité qui tarde à tomber, je cogne à la porte et entre dans la maison en aspirant une grosse goulée de fraîcheur.

À l'intérieur, assis sur la causeuse, je vois Alexis qui se ronge les ongles. Derrière lui, Ariane fait les cent pas, me fixant bizarrement. Je les interroge du regard, curieuse :

– Qu'est-ce qui se passe ?

– Rien...

Je sais que quelque chose ne va pas. Ariane a l'air bête. Alexis évite de me regarder. Je connais la signification de leurs expressions par cœur, surtout depuis qu'ils sont en couple, soit depuis cinq ans.

Au début, j'ai boudé en voyant Ariane et Alexis ensemble, évitant de leur adresser la parole, même si je les suivais partout pour éviter d'être seule. J'avais peur de perdre ma place, d'être rejetée, mais j'ai compris que rien ne changerait, excepté le fait qu'ils s'embrassaient constamment. Je me suis donc faite à l'idée, secrètement jalouse de leur complicité, de leurs embrassades et de leurs rendez-vous au cinéma. Les deux amoureux ne se lâchaient plus.

Intriguée par le comportement de mes deux amis, je m'assois sur l'autre causeuse, à côté d'Alexis, et sors mon matériel. Du coin de l'œil, je vois mon ami se retourner vers Ariane et lui chuchoter :

– Allez... demande-lui.

– Me demander quoi ?

De son majeur, Alexis remonte sa paire de lunettes sur son nez, tic qu'il a toujours eu, et ses yeux s'arrondissent. Ariane s'offusque et s'énerve.

– Alexis, arrête de me fixer comme ça !

Je fronce les sourcils. Depuis quand crie-t-elle après Alexis ? J'enlève ma casquette. Qu'est-ce qu'ils ont ? Ah... Ils veulent sûrement que je sorte mon collier. Je me penche, fouille dans mon sac à dos et prends la boîte fleurie. Je suis en train de l'ouvrir quand Ariane m'apostrophe et m'interroge.

– T'étais où hier ?

Je réponds en resserrant ma queue de cheval, nerveuse.

– En ville. Tu le savais pourtant.

Ariane observe Alexis en plissant les yeux. Mais qu'est-ce qui se passe au juste ? Quand le regard de ma meilleure amie tombe de nouveau sur moi, je remarque que ses paupières sont presque fermées tellement elle me scrute. On dirait qu'elle essaie de se faufiler dans mon esprit.

– Tu mens ! hurle-t-elle.

Je regarde Alexis, abasourdie. Il se ronge encore les ongles. Mauvais signe... Je réplique, agacée par la réaction inexpliquée de mon amie :

– J'étais en ville. C'est quoi, ton problème ?

– Mon problème, beugle-t-elle en contournant la causeuse et en se plantant devant moi. Le problème, LÉA, c'est que tu m'as menti en me disant que tu accompagnais ta mère.

Je suis bouche bée. Comment a-t-elle su ? Devrais-je nier ? Ariane regarde Alexis, se penche et frappe sa main pour qu'il cesse de se ronger les ongles. Elle lui ordonne de me parler.

– Euh... je... j'ai téléphoné chez toi hier, bredouille-t-il, et... ta mère m'a appris que tu étais partie.

Intérieurement, je panique. Qu'est-ce que je réponds ?

– Ah..., fais-je. Elle a décidé de rester à la maison finalement et...

– LÉA ! crache Ariane. J'ai aussi téléphoné à ta mère et devine ce qu'elle m'a appris ?

– ...

– Qu'elle n'était pas invitée, que tu voulais y aller seule et... qu'elle avait déjà quitté la maison quand je te parlais au téléphone, débite-t-elle d'un trait. Est-ce que ça fait longtemps que tu me mens comme ça ?... Est-ce que...

– Ariane, chuchote Alexis, calme-toi, ce n'est pas la fin du monde.

– PARDON ! s'indigne-t-elle. Oui, c'est la fin du monde.

Je déglutis en la regardant s'époumoner, bouger ses bras comme une vraie folle. Que dois-je faire ? Tout lui avouer ? Lui raconter un autre mensonge ? Si je choisis la seconde option et qu'elle l'apprend, je la perdrai. Est-ce que je suis prête à prendre ce risque pour me protéger ?

Ariane se retourne vers moi après avoir sermonné Alexis. Il se referme comme une huître, abdique.

– Veux-tu connaître la vérité, Léa ?

Je n'ai pas le temps de répondre, juste de serrer ma boîte fleurie entre mes doigts. Elle continue, pleine de hargne :

– Je t'ai toujours trouvée bizarre, surtout depuis que tu as quitté Sébastien. Là... je suis vraiment fatiguée d'endurer tes... tes mensonges et...

– Arrête, Ariane !

Elle reste la bouche ouverte, méfiante, surprise que je l'interrompe en plein milieu de son discours. Je continue en déclarant honnêtement, la tête basse :

– J'étais avec Frédérique.

Ariane referme sa bouche d'un coup sec, croise ses bras sur sa poitrine et va s'asseoir sur la causeuse, à côté d'Alexis. Celui-ci semble soudainement intéressé par la conversation. Il repousse de nouveau ses lunettes et me demande :

– Frédéric. C'est qui, lui ?

Évidemment, il pense que Frédérique est un gars ! Moi qui voulais leur dire la vérité, me libérer d'un poids insupportable, c'est raté.

Suis-je prête à faire mon *coming out* ? Devrais-je détourner la vérité ? Les yeux d'Ariane s'arrondissent comme des soucoupes et elle prend la main d'Alexis en souriant. Elle jubile.

– Tu as un amoureux ! Pourquoi est-ce que tu n'as rien dit ?

C'est le moment de lui avouer que Frédérique est une femme, qu'elle se trompe royalement sur mon compte depuis qu'elle me côtoie. Que je suis une menteuse... une lesbienne, mais je réponds, en scrutant ma petite boîte de près :

– Je ne voulais pas vous l'annoncer, parce que je l'ai rencontrée sur Internet. C'était notre premier rendez-vous hier et...

– QUOI ! hurle Ariane, hors d'elle. Tu es folle, Léa ! Il y a plein de meurtriers sur le Web.

– Ariane..., tais-toi, bredouille Alexis. Vas-tu finir par la laisser s'expliquer.

Ariane ferme son clapet. Quand Alexis s'affirme, habituellement, elle écoute, même si elle est en désaccord. Il me fait signe de continuer, calme.

– Je suis allée manger dans un restaurant où il y avait au moins une quarantaine de personnes. J'étais donc en sécurité.

– Bon, dit Alexis, tu vois, Ariane, Léa n'est pas stupide, elle avait prévu le coup.

– Quand même, décrète-t-elle, c'est dangereux...

– Bof..., on a clavardé avant de se fixer un rendez-vous. El... il a sa page sur Facebook. J'ai déjà vu sa photo.

Une petite étincelle brille dans les yeux d'Ariane et elle me bombarde :

– À quoi est-ce qu'il ressemble ? Est-ce qu'il est grand ? Musclé ? Est-ce que vous vous êtes embrassés ?

– Ariane..., l'interrompt Alexis.

– Bien quoi !

Elle se retourne vers lui et se rapproche, adoucie comme du miel, en ajoutant à son intention :

– Je suis certaine que tu es aussi curieux que moi.

Ariane dépose ses lèvres sur celles de son copain, qui ferme les yeux de bonheur. Il soupire, elle met sa main sur sa cuisse. Je n'existe plus. Décidément...

Soudain, les nuages éclatent, le tonnerre retentit. Mon cœur fait trois tours et les deux tourtereaux sur-sautent. On rit en même temps, heureux que la tension accumulée se dissipe, mais je me dis que je ne mérite pas leur amitié, que je suis une peureuse qui se cache derrière une porte impossible à ouvrir. Mes yeux s'emplissent de larmes.

Avant qu'ils ne s'en aperçoivent, je penche la tête et leur rappelle, la voix rauque, que j'ai un collier magnifique entre les doigts.

– Est-ce que vous voulez voir mon collier ? Parce que je suis vraiment allée en acheter un hier...

– Oh oui ! clame Ariane en se tapant les mains.

Alexis attend que je le sorte et que je le remette à mon amie avant d'observer le bijou. Pendant qu'elle s'extasie et énumère toutes les qualités du collier, que la pluie se déverse sur la maison en entier, Alexis en déduit que ma robe doit être bleue. J'acquiesce, déçue qu'il ait deviné.

– Wow... Léa, ce collier est parfait, s'émerveille Ariane en me le redonnant du bout des doigts. J'ai vraiment hâte de te voir dans ta robe.

– Moi aussi, Ariane, que j'insiste, la voix pleine d'émotions. Toi... elle est de quelle couleur ?

– Non, non... tu ne le sauras pas, ricane-t-elle. Même Alexis ne l'a pas vue.

– Ce n'est pas juste, Alexis a deviné la couleur de la mienne.

– Tant pis, me lance Ariane. Tu n'avais qu'à ne pas nous conter de mensonges, ça t'apprendra.

Je perds mon sourire et m'aperçois qu'Alexis m'observe, dans l'ombre d'Ariane, bien écrasé dans le fond du vieux fauteuil en tissu. Pour ne pas soutenir son regard, je range mon bijou dans son étui avec mille précautions. Je déteste quand il fait ça !

En entrant dans notre vie, Alexis s'est révélé ma part manquante, mon complément, même si Ariane reste et restera toujours ma complice. Il parle rarement, mais, intuitivement, devine mes émotions et mes pensées. Je dois constamment trouver un moyen de faire diversion et lui changer les idées pour éviter qu'il creuse dans mes tourments. Parfois, je me demande s'il se doute de quelque chose, en secret. Sait-il que certaines femmes me font fondre ? Se doute-t-il que j'ai laissé tomber Sébastien, il y a un an, parce que j'avais découvert que j'étais lesbienne ? Évite-t-il de m'en parler afin de me respecter, de me permettre de lui avouer moi-même mon orientation sexuelle ? Se retient-il de s'ouvrir à moi parce qu'il n'ose le concevoir ? Je secoue la tête. Quand ce tourbillon de questionnements cessera-t-il ? Je suis épuisée de penser, de m'inquiéter à tout moment.

Ariane, assise sur le bout de la causeuse, me rappelle rapidement à l'ordre, ne remarquant pas que son homme est silencieux, dans son coin.

– Est-ce qu'on va le voir ? me demande-t-elle, fébrile.

– Qui ?

– Voyons, Léa. Ton Frédéric ! Est-ce qu'on va le rencontrer au bal ? Il pourrait porter une chemise du même bleu que ta robe... ou une cravate de cette couleur. Si tu veux, je pourrais lui confectionner une boutonnière... Comme je ferai les nôtres, ce ne serait pas plus de travail et...

– Ariane, arrête... il ne viendra pas.

Elle bougonne.

– Pourquoi ?

– Parce que c'était notre premier rendez-vous hier et... je... il ne s'est rien passé, que je lui précise.

– Ah... vas-tu le revoir avant le bal ? me questionne-t-elle.

– Vendredi prochain... et mes parents ne savent rien. Comme c'est officieux, je me tais.

– Pourquoi ? me sonde Alexis, de sa voix profonde.

Il me défie du regard. Je me mords. Un coup de tonnerre retentit au loin, l'orage s'éloigne, le flux de la pluie diminue. Que dire ? Que l'éventualité de tout exposer à mes parents me donne envie de vomir. Que je préférerais me faire enterrer vivante plutôt que de sortir du placard. Pourtant, dans la pénombre, je suffoque. Mon corps vibre, me conjure de me confesser. Puis-je réellement ressentir deux émotions en même temps ? La peur et l'excitation ? Que répondre ?

Ariane le fait heureusement à ma place en s'esclaffant.

– Voyons, Alexis ! Crois-tu que ses parents toléreraient qu'elle fréquente un homme rencontré en ligne ? Je pense qu'ils aimeraient mieux l'attacher que de la laisser partir.

Je ris aussi. Elle les connaît, depuis le temps... Alexis recommence à se ronger les ongles en silence. Pour l'instant, je n'aurai pas à me justifier. Pour éviter qu'il me pose une nouvelle question, je déclame, nerveuse :

– Bon ! Est-ce qu'on les analyse, les textes ?

– À une condition, me dit Ariane, rayonnant de bonheur.

– Laquelle ?

– Que tu me racontes tous les détails de ta soirée après.

– D'accord, mais là, on commence à travailler.

On prend nos cahiers respectifs et on discute des textes. La pluie sert de musique de fond.

Avant de quitter la maison, je dois leur décrire ma soirée passée avec Fred, comme le surnomme Ariane. Je suis brève et concise, ce qui la laisse sur sa faim, mais elle comprend que je vais sûrement lui donner des détails plus croustillants la fin de semaine suivante. Ce qui m'énerve le plus, lorsque je lui brosse un portrait de ma rencontre avec Fred, c'est Alexis. Assis par terre, devant la télévision, il joue, m'ignore totalement. Je le sens, il se coupe de moi. Que veut-il que je comprenne ? Que je ne suis qu'une menteuse ? Que je l'attriste en gardant tout pour moi ? Et Ariane ne s'aperçoit de rien..., trop éblouie par mon récit.

Je range mon matériel scolaire dans mon sac. L'envie de secouer Alexis pour qu'il parle me taraude. Je me retiens. Pas envie de me justifier maintenant.

Ariane marmonne à côté de lui et je les salue. Elle me fait un clin d'œil suggestif, heureuse que je sorte avec un garçon.

Dehors, je descends la rue et pleure. La pluie frappe mon visage. J'ai honte de mon imposture. Alexis me l'a clairement fait comprendre. Devrais-je rebrousser chemin et tout leur raconter, me confondre en excuses, me jeter à leurs pieds pour qu'ils me pardonnent ?

Je continue à avancer, trempée, glacée, convaincue que cette douche forcée est méritée. En fait, je mérite bien pire. C'est incroyable, quand même. Hier, j'étais emplie d'excitation à l'idée de rencontrer Frédérique, de franchir un premier pas dans ma nouvelle vie. Maintenant, je regrette cette journée et souhaite tout effacer, la faire disparaître. Ça me rappelle trop de mauvais souvenirs. Quand je déprimais... Cette contradiction me pourrit la vie depuis deux ans et j'en ai plus qu'assez ! Pourquoi ne puis-je être heureuse comme Ariane, comme ma mère, comme la plupart des femmes de ce monde, avec mon prince charmant... avec Sébastien ? Je me mets à courir pour effacer ces visages de mon esprit.

CHAPITRE 5

Sébastien

J'ai rencontré Sébastien pour la première fois à la fin de ma sixième année lors de LA fameuse fête d'anniversaire. Sébastien était un des amis d'enfance d'Alexis. Je ne l'ai revu que quatre ans plus tard.

En quatrième secondaire, à la fin du mois d'octobre, Alexis nous a invitées à passer l'Halloween dans son quartier. Comme on avait seize ans, on souhaitait récolter des friandises une dernière fois. Simplement pour le plaisir, pour rire. La consigne de mon ami était simple : on devait arriver chez lui après le souper, préalablement déguisées.

Je me rappelle mon excitation à l'idée de me transformer en professeure d'aérobie.

Le jour convenu, j'ai revêtu mon survêtement rose, près du corps, et un bandeau noir. Quel agencement ! Après le souper, mon père m'a conduite chez Alexis en me rappelant, à la blague, de faire attention aux étrangers et de bien faire le tri de mes friandises. Il trouvait que j'étais trop vieille pour passer l'Halloween et se moquait de moi. Tout le long du trajet, j'ai observé les maisons décorées de ballots de paille, de pantins aux habits automnaux et, bien sûr, de citrouilles de toutes les tailles possibles.

En arrivant chez Ariane, je me suis mise à rire. Mon amie portait une perruque. Ses cheveux étaient brun foncé et ondulaient sur ses reins. Elle avait revêtu un jeans usé, un chandail à manches courtes caché par une veste en coton grise. Un fond de teint blanc lui couvrait tout le visage. Elle ressemblait à une morte vivante.

Quand elle est entrée dans la voiture, en constatant que je me moquais d'elle, elle a braqué ses yeux colériques sur moi. Intérieurement, je me suis dit qu'elle ne gagnerait jamais le concours du meilleur déguisement. Elle ne ressemblait aucunement à Bella Swan des romans de Stephenie Meyer. J'avais vraiment hâte de la voir en compagnie d'Alexis.

À dix-huit heures, quand nous sommes arrivées chez notre hôte, j'étais désappointée. Sa maison n'était pas du tout décorée. Avant de claquer la portière de la voiture, j'ai annoncé à mon père que je lui téléphonerais en fin de soirée pour qu'il vienne me chercher. J'avais vraiment hâte d'apprendre à conduire, c'était fatigant de toujours lui demander de m'amener partout.

Ariane n'a même pas pris le temps de dire au revoir à mon père et s'est précipitée sur la véranda pour sonner. Normal, elle ne pouvait voir son copain qu'une fois par semaine, les samedis. Elle était vraiment heureuse de se retrouver seule avec lui sans leurs

parents respectifs. Et moi, j'étais là, petit chaperon aux
cheveux crêpés... Ils allaient devoir attendre avant de
se cacher, car je voulais faire le tour du quartier et
m'empiffrer de chocolats.

J'ai rejoint Ariane en deux temps, trois mouvements dès que j'ai entendu mon père peser sur l'accélérateur. Déjà, Alexis ouvrait la porte. En le voyant,
j'ai plaqué ma main sur ma bouche pour m'empêcher d'exploser de rire. Mais, une fois dans l'entrée,
je me suis roulée par terre en riant aux larmes.

Ses vêtements étaient parfaits : jeans, chandail
blanc et blouson noir, mais ses cheveux... Edward
Cullen avait une tignasse ébouriffée. Alexis, lui, avait
aplati ses mèches vers l'arrière avec une tonne de gel
et ses lunettes lui donnaient l'allure d'un vampire intellectuel. Trop manqué comme déguisement. Et ce n'était
même plus à la mode, les vampires !

J'étais en train de m'esclaffer quand j'ai entendu
Ariane soupirer en s'extasiant devant son amoureux.
Mon rire a redoublé aussitôt. Alexis m'a lancé un
regard meurtrier : deux couteaux qui voulaient me
transpercer.

– Léa, m'avertit Ariane, arrête de rire... qu'est-ce
qu'il y a de drôle ?

Je me suis pliée en deux en m'esclaffant.

-- Ses... ses cheveux... ha ! ha !

– As-tu vu les tiens ? répliqua Alexis, fâché.

– Toi, tes cheveux sont vraiment laids, ajoutai-je en redoublant de rire.

– Oh... Léa, souffla Ariane, pressée contre son vampire d'amour.

– Je m'excuse, répondis-je en me calmant. C'est l'Halloween, on peut rire un peu ?!

– Ouais... si tu le dis, hésita Alexis. Viens, Sébastien nous attend au sous-sol.

Ah... je l'avais oublié, celui-là. Pourquoi Alexis l'avait-il invité ? Je me rappelais sa taille, ses cheveux pâles, mais rien d'autre. Une lumière s'est faite dans mon esprit. Alexis voulait-il me présenter Sébastien en espérant qu'on forme un couple ? Ah non... Pas ça !

– Où sont tes parents ? minauda Ariane.

– Partis chez des amis. Ils reviendront assez tard, fit Alexis chaleureusement.

Il a regardé Ariane droit dans les yeux. Ses pupilles se sont dilatées. Il s'est penché vers elle, a frôlé ses lèvres. J'ai arrêté de sourire, ma bouche a formé un rictus. Quand ils se regardaient de cette manière, je me sentais de trop. Tout à coup, j'ai compris pourquoi Alexis m'avait invitée. Il voulait passer une partie de la soirée seul, avec Ariane. Ses parents avaient quitté la maison, confiants, puisque leur fils était avec moi et Sébastien, ne se doutant sûrement de rien. J'étais fâchée qu'Alexis m'utilise de la sorte, mais rassurée qu'il n'ait pas songé à organiser un *blind date*. Sans même remarquer mon air renfrogné, les deux tourtereaux ont descendu les marches pour se précipiter au sous-sol. Je les ai suivis à contrecœur.

En bas, Sébastien était assis devant la télévision, concentré sur la manette d'un jeu vidéo. Je voyais ses épaules trembler chaque fois que son personnage tirait sur d'affreuses bêtes vertes. Je me suis approchée en constatant qu'Ariane et Alexis s'étaient installés sur le fauteuil principal, me laissant une place de choix à côté de Sébastien. J'ai poussé un long soupir de découragement. La soirée s'annonçait pénible et ennuyeuse. Avoir su...

En passant devant Sébastien, qui s'est arrêté de jouer, j'ai remarqué, surprise, qu'il s'était déguisé en lutteur. Il portait un pantalon bleu moulant. Le tissu ressemblait à un maillot de bain tellement il épousait toutes les parties gonflées de son corps. Son chandail était confectionné dans le même genre de tissu, mais de couleur différente : bourgogne et zébré d'éclairs jaunes sur ses biceps enflés. Il avait aussi dessiné des éclairs sur sa mâchoire. Sans voix, fascinée, je me suis assise à côté de lui. Combien de temps avait-il passé à s'entraîner pour avoir des biceps pareils ? J'y songeais quand il a pouffé de rire.

– Vous... vous avez l'air... de deux... deux morts vivants... ha ! ha !

En le voyant ricaner, je n'ai pu résister et je me suis mise à glousser de nouveau. Ariane et Alexis, les lèvres pincées, se sont regardés, ont fait un signe de tête, se sont levés et sont remontés au premier. On les a observés disparaître en riant. Mais une fois leurs silhouettes évanouies, on s'est tus, soudain mal à l'aise.

Je n'en revenais pas. Ils nous avaient abandonnés, sautant sur l'occasion pour aller se tripoter à l'étage. J'ai entendu les deux amoureux se diriger dans une des chambres de la maison. Celle d'Alexis ! Si leurs parents savaient qu'ils s'isolaient de la sorte, ils les étriperaient. À cette idée, j'étais morte d'inquiétude. Et puis, tant pis ! Qu'ils se fassent surprendre et dans une fâcheuse position, tant qu'à faire !

Tout à coup, j'ai perçu un grognement à mes côtés. Sébastien a donné un coup de poing sur le dossier du fauteuil. Lorsque mes yeux sont tombés sur lui, il était auburn.

– Ils se prennent pour qui ?

Sébastien m'a scrutée du regard, cherchant à obtenir mon approbation. Je n'avais strictement rien à dire. En fait, il m'intimidait avec ses yeux bleu clair qui lançaient des éclairs. Il m'a demandé, hors de lui :

– C'est la première fois qu'ils te plantent là, comme ça ?

Je suis restée muette. Je le regardais de mes yeux ronds, me tordant les doigts à me faire mal. Il a ajouté :

– C'est ce que je pensais... je vais monter pour...

– Non !

Enfin... J'avais retrouvé ma voix.

– Non quoi ?

Je me suis éclairci la voix avant de préciser :

– Ne va pas en haut... c'est la première fois qu'ils me plantent là, comme tu dis...

Sébastien m'a scrutée. Ses pupilles se sont agrandies. Il a commencé par observer mes cheveux, puis il s'est attardé sur mon décolleté, pour finir sur mes cuisses, heureusement cachées. J'avais l'impression qu'il voyait à travers mes vêtements, qu'il se servait à même un buffet.

Pour faire diversion, nerveuse, je lui ai posé la première question qui m'est passée par la tête :

– Tu t'entraînes souvent ?

Sébastien a immédiatement reporté son regard sur le mien. Ses pupilles ont repris leur forme normale. Il a répondu de sa voix entrecoupée de tons graves :

– Quatre fois par semaine, avec mon père..., pourquoi ?

Visiblement, je l'avais surpris. Satisfaite de sa réaction, et surtout rassurée, je me suis éloignée en m'appuyant sur l'accoudoir du fauteuil usé et j'ai prononcé faiblement :

119

– Je m'entraîne aussi, mais deux à trois fois par semaine, avec ma mère.

Je me suis gratté le fond de la tête en glissant mes doigts sous mon bandeau.

– Tu peux l'enlever si ça te fatigue, me proposa Sébastien, attentif à mes moindres mouvements.

Ne supportant plus la proximité entre lui et moi, j'ai déclaré :

– Je reviens.

Je me suis dirigée vers la petite salle de bains près des escaliers. Je me suis postée devant la glace. Pour enlever mon bandeau, j'ai dû tirer sur de minuscules pinces noires à la base de mes cheveux. Ensuite, je les ai disposées en ligne droite sur le meuble-lavabo. J'ai donc retiré le haut de mon déguisement et détaché ma chevelure, légèrement bouclée. J'ai jeté les pinces dans la poubelle en acier.

Un soupir de tristesse m'a échappé. L'excitation de déambuler à la noirceur pour remplir mon sac de bonbons venait de finir pour toujours. Fini de rire des costumes des enfants en me promenant avec mes deux amis. Fini de sentir l'odeur des feuilles mouillées au clair de lune. Fini...

Soudain, j'ai entendu des coups contre la porte. Le souffle coupé, immobile, j'ai attendu la suite.

– Léa. C'est bien ça ton nom ? hésita Sébastien.

– Oui...

– J'ai téléphoné à ma mère. Elle va venir me chercher. Si tu veux, je peux te déposer chez toi en passant.

Surprise par sa proposition, et par sa voix tremblotante, je suis restée debout devant la porte, sans mot dire.

– Es-tu correcte ? s'inquiéta-t-il.

– Oui, oui...

J'ai ouvert doucement. Il était là, devant moi, immense. Il me dépassait d'au moins trois têtes. Je remarquais enfin ses abdominaux à travers son chandail, ses cuisses découpées sous son pantalon et son... Rougissante, je suis sortie de la salle de bains en vitesse pour me diriger dans la cage d'escalier en soufflant :

– Super ! Je pars aussi.

J'ai monté les marches en sautillant, ouvert la porte et me suis précipitée à l'extérieur. Il faisait noir. Alors que je sortais, des phares rougeâtres ont éclairé la maison : des policiers surveillaient les allées et venues des enfants. Ils étaient nombreux à se promener dans le quartier, les chanceux !

En fermant la porte, Sébastien m'a annoncé que sa mère habitait à quinze minutes, qu'on devrait attendre sous le porche. Pour briser le silence, nous avons critiqué les déguisements des jeunes qui déambulaient devant nous. Certains d'entre eux faisaient de même en nous observant. De mon côté, je fixais les passants. Sébastien savait-il qu'il m'intimidait, que j'avais regardé son entrejambe ? Je me posais la question, gênée, quand j'ai distingué une voiture noire qui se garait en face de nous. C'était sa mère. Il m'a fait signe de le suivre.

Après m'être assise derrière lui, pendant qu'il me présentait, j'ai songé qu'Alexis et Ariane devaient se réjouir de notre départ. Je leur en voulais. J'ai expliqué à la mère de Sébastien le chemin du retour, puis je me suis tue, les écoutant discuter. Les arbres dégarnis défilaient devant moi. Je me disais que mon lit serait confortable.

Le lendemain matin, alors que j'étais encore profondément endormie, une voix m'a tirée du sommeil. Ma mère chuchotait.

– Léa..., réveille-toi.

Mon lit bougeait. Je paniquai. Un tremblement de terre ! Depuis quelques années, les médias exposaient les différentes zones du Québec fréquemment touchées par de légers séismes. Mais en région... Était-ce possible ? Je me suis relevée d'un bond, les mains sur la tête, et j'ai vu ma mère à l'extrémité de mon lit.

– Qu'est-ce qui se passe ? Qu'est-ce qui...

– Du calme, Léa, c'est Ariane, me révéla-t-elle en me montrant le téléphone.

– Ariane ?

J'étais déboussolée.

– Elle veut dis-cu-ter. Tu parles d'une heure pour appeler, bougonna-t-elle.

Chancelante, j'ai piétiné mon matelas et senti les plumes de ma couverture entre mes orteils. Il faisait sombre dans ma chambre. J'ai tendu la main pour prendre le combiné et me suis assise pour parler à ma meilleure amie... si elle l'était toujours. Ma mère est ressortie.

La veille, mes parents avaient été surpris de me voir revenir si tôt, mais ils s'étaient surtout interrogés sur le moyen de transport que j'avais utilisé. Quand je leur avais dit que le copain d'Alexis m'avait proposé de me ramener, ils avaient eu une drôle de réaction. Ils m'avaient posé une série de questions sur Sébastien. Était-il ami avec Alexis depuis longtemps ? Allait-il dans une école privée ou publique ? Était-il poli ? Était-il séduisant ? J'avais tout gardé pour moi et m'étais enfermée dans ma chambre. Pourtant, en collant l'oreille contre ma porte, j'avais perçu des rires et des exclamations. Mes parents étaient heureux à l'idée que leur fille fréquente un garçon. Même de loin, j'entendais parfaitement des morceaux de leur conversation :

– Enfin, un garçon... je me demandais... se décider. Elle étudie trop... sort pas...

« Foutaise ! » avais-je hurlé dans ma tête. J'avais des amis, je sortais parfois avec Ariane et Alexis. Je n'étudiais pas TOUS les soirs. Quant aux garçons... Je me suis affalée sur mon lit en le frappant de mes poings. Ils ne m'intéressaient pas, étaient immatures, pétaient. en classe, rotaient, se traitaient de *tapettes*, rataient leurs examens... Pourquoi m'attireraient-ils ? Je croyais réellement que le prince charmant serait studieux, plus vieux, donc impossible de le rencontrer à l'école. Pas le temps et pas intéressants, les gars, c'est tout !

Les jambes croisées, je songeais encore aux réflexions de mes parents quand je me suis finalement décidée à parler dans le combiné.

– Ariane, chuchotai-je, laisse-moi t'expliquer, d'accord ?!

Ma voix tremblait, comme mon lit quelques minutes plus tôt. J'appréhendais sa réaction. La dernière fois que je l'avais abandonnée chez Alexis, elle m'était tombée dessus. Qu'allais-je apprendre maintenant ?

– Salut, cafouilla-t-elle.

Visiblement, elle m'appelait en cachette. Au moins, elle n'était pas fâchée. Pourquoi ?

– Qu'est-ce qui se passe ? m'empressai-je de lui demander. Je m'excuse, Ariane, mais Sébastien a téléphoné à sa mère et...

Elle a continué en balbutiant :

– C'est correct. On n'aurait pas dû se rendre dans sa chambre, mais... on n'est jamais seuls...

Je l'ai entendue pleurer. Des petits bruits saccadés, des reniflements disgracieux.

– Bien voyons, qu'est-ce qui s'est passé ?

J'étais VRAIMENT inquiète. Entre deux hoquets, j'entendais à peine son histoire.

– On s'est enfermés dans... dans la chambre... d'Alex... d'Alexis. On s'est couchés sur son lit... on vou... voulait juste s'embrasser un... un peu. On a entendu la por... te claquer.

De gros sanglots la secouaient.

– Sébastien et moi, on est sortis pour attendre sa mère. J'étais trop fâchée pour vous avertir.

– On pensait que vous... vous passiez l'Hall... l'Halloween, bégaya-t-elle en pleurant.

– Oh non ! paniquai-je en anticipant la suite.

– On ne... ne voyait pas le temps passer, puis on a ent... entendu la porte se refermer. On pensait que vous... vous étiez ensemble... en... en bas.

Ses pleurs ont redoublé. Horrifiée, j'ai porté ma main libre dans mes cheveux pour les tirer, juste un peu. Ariane a péniblement continué son récit.

– Sa mère a... a ouvert la... la porte. Il fai... faisait noir. Je... je... j'étais couchée sur lui...

Mon amie pleurait à chaudes larmes. Je tentais de la calmer, mais c'était impossible. J'ai donc dû attendre qu'elle vide toute sa peine, qu'elle sorte sa tristesse avant de l'entendre narrer son cauchemar à nouveau. Après quelques minutes, elle a réussi à parler normalement, mais sa voix restait grave, parfois entrecoupée par des raclements de gorge. Je me suis mordu les lèvres en l'écoutant.

– Sa mère nous a obligés à quitter la chambre... à nous asseoir à table. On n'osait même plus se regarder tellement on était gênés. Elle est allée chercher le père d'Alexis en courant dans les escaliers. J'avais honte, Léa...

– Ariane, tu as le droit d'embrasser ton chum ! clamai-je.

– Non, je m'en veux parce que j'ai imaginé sa mère tomber dans les escaliers.

– Oh ! fis-je, surprise.

– Mais ce n'est pas ça le pire, ajouta-t-elle en reniflant.

– C'est quoi ?

– Ils ont téléphoné à mes parents.

Je n'avais rien à répliquer. Si j'avais été à sa place, j'aurais voulu me jeter sous un train. Elle a ensuite précisé, démoralisée :

– Nous les avons écoutés nous faire la morale pendant deux heures. Deux heures ! Ils nous ont avertis... à propos d'une grossesse... ou d'une maladie...

– Oh non ! m'offusquai-je.

– Alexis n'a presque rien dit.

– Presque ?...

– Il a juste lancé qu'on n'avait rien fait... pas de sexe !

Ouf... heureusement, ils n'étaient pas nus lorsqu'ils s'étaient fait prendre.

– Qu'est-ce qu'ils ont répliqué ?

– Qu'on n'aura plus le droit de se voir les samedis pendant un mois et... qu'après, on restera toujours à l'extérieur de nos chambres. Tu imagines... ils ont appelé mes parents.

Elle pleurait de nouveau. J'étais peinée pour elle et je m'en voulais d'avoir accepté l'invitation de Sébastien.

À l'école, les jours suivants, j'ai côtoyé deux loques humaines. Dormant difficilement, mes amis étaient

127

cernés, évitaient de parler et se collaient l'un à l'autre comme des sangsues. La main autour de la taille, l'autre sur la cuisse, des becs dans le cou, sur la bouche... Ils m'exaspéraient, mais j'étais certaine qu'ils faisaient le plein en sachant très bien qu'ils ne pourraient se voir que dans un mois. Mais le pire, c'était mes parents, avec leurs questions subtiles : « As-tu des nouvelles de Sébastien ? » « Est-ce qu'Alexis l'invite souvent ? » « Allez-vous planifier une activité à quatre ? » Je les ignorais, constatant qu'ils souhaitaient rencontrer Sébastien. Ils m'énervaient... Je ne voulais pas le revoir. Il m'intimidait.

De son côté, Alexis s'est expliqué avec son ami, qui s'est excusé de son départ. Les deux gars prévoyaient se voir à nouveau quand la punition prendrait fin. Trois semaines plus tard, contre toute attente, et dans le plus grand des secrets, j'ai appris que Sébastien voulait me revoir. Il avait raconté à Alexis que c'était la première fois qu'il rencontrait une belle fille, de son âge, qui s'entraînait, et qu'il m'aimait bien. Quand Alexis m'a rapporté ces paroles, Ariane s'est extasiée, folle de joie, et a insisté pour que je le rencontre de nouveau. Je me suis opposée à cette idée. Puisqu'aucune raison de refuser ne sortait de ma bouche, Ariane a convaincu Alexis d'inviter Sébastien chez lui le samedi suivant.

En constatant que je ne souhaitais pas me présenter chez Alexis, elle s'est mise à sangloter, prétextant que je lui devais ce petit sacrifice, comme je l'avais abandonnée un mois plus tôt chez son copain. J'ai accepté, à court de réparties.

Ce fameux samedi, les premiers flocons tournoyaient autour de la voiture familiale, adhéraient aux arbres nus, les enrobaient pour mieux les conserver. J'aurais aimé être à leur place... en hibernation, immobile, inatteignable... afin d'éviter de me jeter dans la gueule du loup. Je savais que Sébastien m'attendait. Le nez caché dans mon foulard turquoise, je ressentais la brûlure du froid sur ma peau.

– Tu peux l'inviter à la maison... si tu veux... un de ces quatre, proposa mon père, maladroit.

J'ai soupiré d'agacement.

– Papa..., arrête !

– C'est juste que ta mère et moi en avons déjà discuté... tu peux inviter un garçon à la maison...

– Je sais. Est-ce qu'on peut éviter d'en parler ?

Mon père s'est trémoussé sur son siège, visiblement mal à l'aise. Pour lui démontrer que je ne voulais pas discuter garçon, j'ai remonté mon foulard sous mes yeux et détourné la tête, les bras croisés sur ma poitrine. Mes parents me mettaient trop de pression sur le dos. « J'ai le droit d'être célibataire ! Je n'ai que quinze ans après tout ! » Pourquoi ne se contentaient-ils pas de mes Méritas et des prix que je gagnais chaque fin d'année ? Qu'est-ce que je devais faire pour qu'ils me laissent en paix ?

Des larmes ont perlé aux coins de mes yeux.

– Bon... on se voit tantôt, me dit mon père quand nous sommes arrivés chez Alexis.

– Je t'appellerai.

– Ah oui ! Ce serait nouveau..., plaisanta-t-il.

– Papa !...

Il s'est mis à rire et j'ai claqué la portière derrière moi pour ne plus l'entendre. Je me suis mise à marcher comme une tortue. Avant même que j'atteigne la porte d'entrée, elle s'est ouverte à la volée, laissant apparaître Alexis, visiblement contrarié.

– Tu as dix minutes de retard ! On t'attend dans le salon...

– Alexis ! l'apostrophai-je. Arrête, sinon je fais signe à mon père.

Alexis s'est tu et s'est déplacé pour que je passe devant lui. J'ai enlevé mes bottes et mon manteau, qu'il a suspendus dans le placard à côté de moi. Dans le salon, à côté, Ariane et Sébastien étaient assis tous les deux sur le canapé. Sébastien était affalé de tout son long, les jambes étirées sur le tapis immaculé.

Derrière eux, j'ai distingué les parents de mon ami, adossés à leurs chaises respectives, autour de la table principale. Ils nous regardaient attentivement... Qu'est-ce qu'ils s'imaginaient ? Qu'on allait se déshabiller et se caresser au milieu du salon ? J'ai grogné de mécontentement quand j'ai entendu Alexis demander à sa mère :

– Est-ce qu'on peut aller au sous-sol maintenant ?

– Ouin..., accepta-t-elle à contrecœur.

Il l'a rapidement remerciée et a entraîné Ariane au sous-sol avec lui. Sébastien, dont les biceps saillaient sous un chandail blanc, les a suivis en me faisant un clin d'œil au passage. La peau de mon visage s'est mise à chauffer. Je me suis efforcée de rester calme.

L'après-midi se déroulait exactement comme je l'avais prévu : Ariane et Alexis s'embrassaient effrontément et Sébastien m'observait. Puis, il a tenté d'amorcer la conversation :

– T'entraînes-tu depuis longtemps ?

Je savais qu'il poserait cette question. Il était tellement prévisible ! Je l'ai regardé dans les yeux. Ils étaient magnifiques. Aussi bleus que le ciel un jour d'été. Sa mâchoire, saillante, tremblait. Il était nerveux... Ce qui m'enchantait ! Cette découverte m'a donné de l'énergie et une nouvelle motivation : et si je l'intimidais ? Le temps passerait vite...

– Je m'entraîne depuis que j'ai douze ans. Et toi ?

– Moi aussi !

Son intérêt m'a déstabilisée. Il a continué, enjoué :

– Une semaine sur deux, je vais au gym avec mon père. Si tu voyais ses muscles, tu serais impressionnée, ils sont super gros. Toi, tu t'entraînes avec ta mère ?!

Ses yeux bouillaient. J'avais fait une gaffe en lui démontrant de l'intérêt. Il se montrait loquace, trop... Comme je ne répondais pas, il a débité :

– Qu'est-ce que tu fais comme exercices ? Parce que moi, j'ai une dizaine de programmes, tous différents. C'est mon entraîneur qui me les a faits. Je commence toujours par m'échauffer sur le tapis roulant, je cours comme un malade. Après, je travaille une partie de mon corps en particulier. Hier, j'ai levé des poids et...

Abasourdie, fascinée, je l'ai écouté bavarder. En parlant, il m'exposait tous ses muscles, me forçant même, à ma plus grande surprise, à les toucher. Ses mains étaient brûlantes. Visiblement, la musculation le passionnait, l'animait, le transformait. Il m'a énuméré tous les exercices qu'il faisait et narré ses premières maladresses. Je me suis détendue. Sans même m'en rendre compte, j'ai détaillé mes propres exercices, la sensation de bien-être que j'éprouvais au centre de musculation.

À force d'observer ses cuisses gonflées, à travers son jeans bleu foncé, j'ai commencé à ressentir un picotement au niveau de mon plexus solaire. Sur ce, j'ai entendu des bruits de pas dans les escaliers.

Immédiatement, Ariane et Alexis se sont séparés tout en essayant d'adopter une allure décontractée, tandis que leurs visages restaient rougis par leurs baisers torrides. Incroyable ! J'avais oublié leur présence. Et le temps avait filé. Décidément, Sébastien était plus intéressant que je le croyais.

– Il est cinq heures, nous informa le père d'Alexis, la voix grave. Vous pouvez téléphoner à vos parents. Alexis, viens avec moi, j'aimerais te parler deux secondes.

Sans l'attendre, il s'est retourné et est remonté. Ariane s'est inquiétée.

– Qu'est-ce qui se passe ?

Haussement d'épaules, Alexis se posait la même question qu'elle. Avant de la quitter, il l'a embrassée du bout des lèvres. Comme nous ne pouvions rester, Sébastien et moi, nous avons téléphoné à nos parents.

Nous nous sommes levés en même temps. Sébastien m'a fait signe de passer devant lui en souriant. Sa galanterie m'a plu. J'espérais, un jour, trouver un homme comme lui. Je l'ai suivi à l'étage, Ariane derrière nous, puis j'ai mis mon manteau et mes bottes. Comme il y avait peu de place dans le vestibule et qu'on y était trois au même moment, je me suis retrouvée contre la porte. J'avais l'impression qu'Ariane et Sébastien faisaient exprès de me plaquer contre celle-ci. En regardant à travers la fenêtre, j'ai constaté que la neige recouvrait tout. Les voitures, les arbres, les poteaux électriques, la pelouse. Un désert hivernal s'étendait devant moi. C'était tellement beau...

PAF ! Tout à coup, mon nez s'est écrasé sur la vitre. Sébastien venait de perdre pied en se chaussant et m'avait culbutée.

– Aïe ! criai-je.

Tous les regards ont convergé vers moi. La main sur le nez, je me disais qu'il aurait pu faire attention.

– Qu'est-ce qui se passe ? demanda Ariane, surprise par mon cri.

– Je me suis cogné le nez, tempêtai-je.

– Excuse-moi, Léa !

Sébastien s'est relevé, mal à l'aise, me dépassant largement. J'ai bredouillé :

– Ce n'est rien... Je sors.

J'ai salué Alexis en examinant de mes doigts mon nez douloureux.

Alexis ne m'a pas saluée, il regardait Ariane. Tout de même, il avait beau s'ennuyer de sa copine, il aurait pu se forcer et me dire au revoir ! J'étais AUSSI son amie ! Chagrinée, je me suis dirigée vers le porche pour y attendre Sébastien et Ariane. Pourtant, j'ai remarqué que celle-ci restait à l'intérieur. En fait, Sébastien avait refermé la porte derrière lui et Ariane n'apparaissait toujours pas. Qu'est-ce qui se passait encore ? Tout en maudissant ma meilleure amie, j'ai remonté la fermeture éclair de mon manteau jusqu'à mon menton.

Il faisait froid. La nuit était tombée. Une fumée blanche sortait de ma bouche. Crispée, j'étais prise avec Sébastien.

– Je m'excuse, Léa, fit-il d'un ton navré.

– Ce n'est rien, je n'ai presque plus mal, mentis-je.

En tâtant le dessus de mon nez, j'ai senti une petite bosse, très douloureuse. Sébastien s'est approché. Je suis restée immobile, trop obsédée par le renflement. Il a chuchoté :

– Si tu veux... on pourrait peut-être s'entraîner ensemble ?

Sébastien se balançait sur ses jambes, nerveux. Je songeais à sa proposition, hésitante, quand j'ai aperçu une voiture noire au bout de la rue. C'était sa mère. J'ai accepté sans trop penser.

– Super ! On pourrait y aller vendredi prochain. Je demanderai à mon père de t'inviter. J'ai vraiment hâte de te montrer où je m'entraîne.

J'étais sans voix. Il s'est planté devant moi. Au début, je n'ai remarqué que son manteau noir, boursouflé de toutes parts. Puis, Sébastien s'est penché et a déposé un doux baiser sur le bout de mon nez.

– Je t'appelle vendredi. Salut !

Il s'est retourné, me laissant sur place, décontenancée, et s'est élancé vers la voiture de sa mère qui l'observait, surprise, à travers la vitre. J'ai ouvert la bouche, en tentant de crier que..., mais je ne savais même pas ce que je souhaitais lui dire finalement, et, à ce moment-là, à mon grand dam, j'ai vu mon père en train de se stationner en face de la maison. MERDE ! Il avait assisté à toute la scène ! MERDE !

Je n'ai rien pu prévoir. Les cinq jours suivants, les événements se sont enchaînés malgré moi. En voyant un gars m'embrasser, mon père, enthousiaste à l'idée de le rencontrer, semblait heureux. Pourtant, j'ai essayé de lui faire comprendre que Sébastien et moi ne formions pas un couple, mais il a ri et balayé mes propos de la main en me disant qu'il s'assurerait que je fréquente un « bon gars ». Ma mère, quant à elle, était aussi énervée que son mari. On aurait dit que j'avais gagné le gros lot, que j'étais chanceuse. Elle m'appelait même sa « petite femme ». Qu'est-ce qu'ils avaient ? Agacée par leur attitude, je me suis enfermée dans ma chambre. J'y étais aussi constamment dérangée par mes deux amis au téléphone.

Ariane et Alexis ont fait des pieds et des mains pour me convaincre que Sébastien était l'homme que j'attendais depuis toujours. Ils m'ont énuméré ses qualités, m'ont rapporté tous les compliments qu'il me faisait... Je les écoutais en me demandant dans quel pétrin je m'étais mise.

Le vendredi suivant, je me suis retrouvée au centre de musculation avec mon « nouvel amoureux ».

Au début, j'étais intimidée par la présence de son père, mais plus le temps passait, plus je prenais plaisir à les observer et à les écouter m'expliquer leurs programmes. Ils étaient passionnés de musculation. En m'entraînant avec eux, je me suis sentie valorisée, appréciée et choyée. Sébastien m'aidait avec mes poids, me faisait rire en me racontant des anecdotes à propos de son père célibataire et de ses tentatives pour trouver l'amour.

À la fin de la soirée, quand ils m'ont raccompagnée chez moi, je me suis assise derrière. Sébastien s'est installé à côté de moi. Nous étions muets. Il m'a pris la main. Je l'ai laissée dans la sienne, chaude et rassurante. Pourquoi pas ? Il était gentil et attentionné.

Devant chez moi, avant que je sorte de la voiture, son père m'a demandé si je voulais revenir au gym avec eux le vendredi suivant. J'ai accepté, heureuse d'être leur complice. Sébastien a lâché ma main, nous nous sommes souri, puis je suis sortie de l'automobile. Je voulais bien être son amie, mais je n'étais pas certaine de vouloir aller plus loin. En me dirigeant vers la maison, j'ai compris l'erreur que j'avais faite en tenant sa main dans la mienne : il pensait sûrement que nous formions officiellement un couple. Il faudrait que je fasse attention !

Les vacances de Noël sont arrivées à grands pas. Je m'entraînais avec Sébastien un vendredi sur deux. J'adorais aller au centre de musculation avec son père et lui. Ils me fascinaient. Leurs corps semblaient conçus pour soulever de lourdes charges et ils étaient infatigables. Chaque fois, je découvrais de nouvelles façons de m'exercer et j'appréciais tout l'intérêt qu'ils me portaient.

Dans la voiture, je restais sur mes gardes. À l'arrière, Sébastien s'assoyait toujours au milieu du siège et me prenait la main. Pour ma part, j'étais acculée contre la portière et je fixais l'extérieur, convaincue que, si je me retournais vers lui, il en profiterait pour m'embrasser. Quand on arrivait chez moi, je le saluais rapidement en reprenant ma main le plus vite possible et je m'enfuyais. Que pensait-il de moi ? Que je jouais avec ses sentiments ? Que j'étais une grande timide ? Impossible de le savoir. J'étais prise dans un piège que je m'étais moi-même tendu.

Le 23 décembre, le premier samedi des vacances de Noël, mon père m'a réservé une surprise de taille. Il avait eu la brillante idée d'inviter mon nouvel ami à la maison sans m'avertir au préalable.

En voyant Sébastien pénétrer dans la maison, ma mère l'a accueilli en parfaite hôtesse. Elle lui avait préparé un souper cinq étoiles avec quatre services et mon père s'est chargé du questionnement en règle.

Je savais qu'il l'avait invité pour cette raison. Même s'il était heureux que Sébastien et moi « nous nous fréquentions », il voulait s'assurer que sa fille soit entre bonnes mains. J'ai mangé le nez dans mon assiette, heureuse que mon ami s'en sorte à merveille. Parce qu'il restait calme et me comblait d'éloges, ce qui m'embarrassait. Ma mère, visiblement, se régalait en l'observant et mon père approuvait chacune de ses réponses.

Qu'est-ce que mes parents attendaient ? Que s'étaient-ils mis en tête et que croyaient-ils qu'il allait se passer ? J'aimais l'humour de Sébastien, sa joie de vivre, sa présence, ses muscles, mais je le voyais comme un ami. Pourquoi ne pouvais-je pas, comme les autres filles, tomber encore plus sous son charme ? Qu'est-ce qu'il fallait que je fasse pour que ça arrive ?

Je me posais les mêmes questions tous les soirs, me forçant à m'imaginer seule avec lui. Dans mes rêveries, mes lèvres caressaient les siennes. Il promenait ses mains brûlantes sur mon corps. Je l'autorisais à soulever mes vêtements, mais plus mes songes se définissaient, plus Sébastien s'évaporait. Je n'arrivais jamais à le matérialiser très longtemps, ce qui me frustrait. J'aurais aimé me pâmer devant lui. Il était si gentil, si drôle et attentionné. C'était quoi, mon problème ? Je VOULAIS un copain.

De l'autre côté de la table, Sébastien m'a regardée et fait un clin d'œil. J'ai souri. Il était courageux de supporter l'interrogatoire de mon père et les regards admiratifs de ma mère. Je lui devais bien ça. Une fois le dessert englouti, comme je me demandais à quelle heure son père viendrait le chercher, le mien nous a fièrement annoncé que ma mère et lui avaient décidé d'aller au cinéma et qu'à leur retour, il se ferait un plaisir de raccompagner mon ami chez lui.

Oh, non ! Ils n'allaient pas me laisser toute seule avec Sébastien ! J'ai paniqué.

Après le départ de mes parents, j'ai proposé à Sébastien d'écouter un film, voulant ainsi éviter que nous discutions de nous. Il s'est installé au milieu de la causeuse, m'obligeant à me glisser à côté de lui. Mal à l'aise, j'ai choisi une histoire d'horreur afin de réfréner ses envies de se coller à moi, mais je m'étais ENCORE trompée à son sujet. À peine avions-nous regardé le début du film qu'il me jouait déjà dans les cheveux.

Pendant que l'actrice principale hurlait de douleur, j'ai essayé de garder mon calme, élaborant toutes les fuites possibles : appeler Ariane pour n'importe quelle raison, me cacher dans les toilettes, augmenter la température de la maison, faire du maïs soufflé. Génial !

Je m'apprêtais à me lever quand j'ai senti mes cheveux bouger. Que se passait-il ? J'ai tourné mon visage pour demander à Sébastien ce qu'il faisait et lui dire de replacer mes mèches où elles étaient, lorsqu'il a brusquement écrasé sa bouche contre la mienne.

Sur le coup, je n'ai pas réagi. J'étais comme une statue de métal. Sébastien a enveloppé mes lèvres avec les siennes, suaves et charnues, il les a caressées doucement et... a sorti sa langue pour l'insérer dans ma bouche. Contrairement à ce que je pensais, son baiser était agréable. Aucun papillon n'a fait frémir mon ventre, aucune envie irrésistible de lui arracher ses vêtements, mais il ne m'a pas donné envie de vomir pour autant, c'était déjà ça !

Sébastien a mis sa main droite dans ma tignasse et m'a attirée contre ses pectoraux enflés. J'appréciais tellement ses muscles, sa présence, sa chaleur... Je me suis dit : « Pourquoi pas ? Pourquoi attendre ? » Peut-être avais-je besoin d'expérimenter l'amour pour le ressentir ? J'ai lâché prise, explorant ainsi la bouche de Sébastien une bonne partie de la soirée.

Pendant les vacances, tout le monde était heureux : mes parents, mes deux meilleurs amis et Sébastien ! Quant à moi, au début, j'ai vraiment aimé l'attention que mon entourage me portait. Je chérissais ma nouvelle complicité avec Ariane et Alexis. Nous ne parlions plus que de nos couples, des sorties que nous pourrions faire tous les quatre, de nos affinités respectives. Mais le plus intéressant, bizarrement, c'était quand nous nous retrouvions dans le sous-sol d'Alexis.

On s'embrassait, chaque couple de son côté, on s'explorait mutuellement. Tout le monde soupirait et gémissait de bonheur, sauf moi ! En fait, pour éviter de paraître suspecte, ou de décourager Sébastien, je lâchais de temps en temps un *humm...* ou un *ah...* en lui rendant ses baisers. Le pauvre. Je le repoussais déjà assez comme ça.

Heureusement, les cours ont repris et je ne l'ai plus vu que les vendredis pour m'entraîner ainsi que les samedis chez Alexis. Mon père a bien tenté de me convaincre de l'inviter à la maison une seconde fois, mais j'ai toujours refusé sous prétexte que je devais faire mes devoirs ou étudier, et qu'aucun garçon ne m'empêcherait de gagner les bourses de fin d'année. Que pouvait-il répliquer à ça ? Je me gardais bien de lui dire la vérité.

En fait, je m'étais mis le doigt dans l'œil en me persuadant que l'obligation et la nécessité de me rapprocher de Sébastien physiquement provoqueraient la petite étincelle qui le transformerait en magnifique prince charmant. J'ai eu beau l'embrasser de toutes les façons possibles, je n'ai jamais ressenti ce fameux picotement décrit dans les romans d'amour. Je n'ai éprouvé qu'une sensation de froid.

J'étais aussi gelée que le lac qui se trouvait à une dizaine de minutes de chez moi. Souvent, la nuit, après avoir passé mon samedi avec Sébastien, je m'endormais dans mon lit, la tête enfoncée dans mon oreiller, épuisée par mes pleurs.

Cinq mois ont passé ainsi. Cinq mois de faux-semblants, de torture. J'étais désespérée et ne voyais aucune solution, apeurée de révéler la vérité, de décevoir ma famille et mes amis. J'anticipais trop de pertes et, surtout, trop de tristesse. Je me suis donc résignée à vivre cette situation en espérant que Sébastien se rende compte que mes études étaient plus importantes que lui et que je ne lui permettrais jamais de fourrer ses mains sous mon chandail. Je me disais que, à un moment donné, il me laisserait tomber. Mais il tenait bon, était terriblement patient avec moi, jusqu'à me rendre folle !

Au début du mois mai, à la fin de ma quatrième secondaire, je désespérais quand, un jour, Émilie est entrée dans ma vie.

CHAPITRE 6

Rapprochements

15 juin

Ariane vient encore de me demander de lui montrer une photo de Frédéric. Je suis écœurée ! Ça fait une semaine qu'elle me bombarde de questions : « As-tu discuté avec lui ? » « Qu'est-ce que tu vas te mettre sur le dos vendredi prochain ? » « As-tu peur de te rendre dans un bar ? » « As-tu de fausses cartes ? » « Qu'est-ce que tu vas faire si les policiers débarquent ? » Chaque fois, je réponds le plus patiemment possible, même si je bous de l'intérieur tellement j'ai envie de lui dire que mon copain, c'est une FILLE ! En plus, je suis obligée de supporter le mutisme d'Alexis.

Depuis dimanche dernier, il m'adresse à peine la parole. Il garde la tête enfouie dans ses cahiers. Ariane ne remarque rien. J'ai envie de prendre un de ses manuels et de le frapper en plein visage pour qu'il arrête de m'ignorer. Je voudrais qu'il me regarde, qu'il vide son sac, qu'il redevienne comme avant. Au lieu de cela, je continue à mentir, comme d'habitude.

Le soir, en revenant de l'école, je suis épuisée. Je mange le nez dans mon assiette, j'écoute distraitement mes parents discuter. Ma mère s'inquiète à mon sujet, dit que je vais m'épuiser à trop étudier. Je m'enferme dans ma chambre pour avoir la paix. Mes livres étendus partout sur mon lit, je me force à lire mes notes, à apprendre par cœur toutes les notions que je dois maîtriser pour mes examens, sans succès. Frédérique occupe toutes mes pensées. J'ai trop hâte de la revoir.

La nuit venue, dans mes rêves, j'arrive en retard à l'école, je me dispute avec mes parents et je me bats avec Alexis... Que des cauchemars qui me laissent vide au lever.

Cernée, j'ouvre mes courriels avant d'aller déjeuner et je LE vois. Le message de Frédérique. Elle me rappelle notre rendez-vous le soir même, me dit à quel point elle souhaite me revoir et m'embrasse. À ce moment précis, l'excitation ressentie en quelques secondes seulement chasse ma fatigue et ma déprime.

Il est maintenant vingt-trois heures. Je suis en face du bar. Effrayée. Mes aisselles brûlent sous ma robe d'été. De ma cachette, je fixe l'entrée depuis une quinzaine de minutes, hésitant à mettre un pied devant l'autre. Le vent déplace mes cheveux, emmêle mes boucles.

Quelques minutes plus tôt, j'ai immobilisé la voiture de ma mère à côté de l'immeuble de Frédérique.

Ma mère pense que je suis avec Ariane pour voir un spectacle en ville et que je vais dormir chez mon amie après. Je ne pourrai pas lui mentir éternellement. Ni emprunter sa voiture tout le temps. Je marche sur le trottoir en croisant des fêtards au passage et je m'immobilise en voyant Gorille. Que faire s'il refuse de me laisser entrer ?

Je traverse la rue, m'arrêtant à côté de lui. Deux Barbie me fusillent du regard. Pour elles, je suis de trop. J'attends que « tête vide » me remarque. Devrais-je lui pincer le bras ? Mauvaise idée, il ne sentirait rien. Sans quitter ses poupées des yeux, il dégage l'entrée et pointe les escaliers pierreux. Surprise qu'il m'ait remarquée, je me faufile derrière et monte.

À l'intérieur, c'est la cacophonie. La musique perce mes tympans, mon cœur bat la mesure. J'escalade les marches rapidement. En haut, une Barbie numéro trois m'attend. Assurément, sans Frédérique, impossible de pénétrer dans cet endroit. Qu'est-ce qu'elle voit en moi ? Difficile d'accepter l'idée que je puisse l'intéresser. Je suis si différente des clientes qu'elle reçoit. Je ressens un malaise, un inconfort assez désagréable, incertaine de devoir être ici.

La blonde arque un de ses sourcils, attend je ne sais quoi. J'essaie quelque chose.

– Je m'appelle Léa.

Elle approuve de la tête. Est-ce si évident ?

– Tu peux entrer. Fred est derrière le bar, dit-elle de sa voix nasillarde.

Barbie numéro trois déverrouille la porte vitrée en enfonçant un bouton avec son ongle surdimensionné. Je tire sur la poignée et entre dans un réfrigérateur. Croisant mes bras sur ma poitrine, je me sens transie de froid. Les clients paradent dans leurs maillots de bain TRÈS ajustés, éclairés de couleurs multiples. Plusieurs d'entre eux ruissellent et se trémoussent sur la piste de danse, devant la baie vitrée. Je tourne la tête et aperçois deux rangées de tables rondes ainsi que le bar. Il ne reste qu'une place. VITE !

Tendue comme un arc, je bondis jusqu'au siège libre et prends place. Je dépose mon sac en face de moi et replace mes boucles sur mes épaules en cherchant Frédérique du regard. Où est-elle ?

– LÉA !

Je tourne la tête et la remarque à l'extrémité du bar. Frédérique me salue, une bouteille à la main. Je souris, . rassurée. Elle me crie qu'elle sera bientôt disponible. J'en profite pour sortir mon portefeuille, quand tout à coup...

– Salut.

Je sursaute. La femme, assise à côté de moi, a une voix rauque. Elle est maigre et porte une chemise violet foncé. C'est laid... Elle semble beaucoup plus vieille que moi. Ses petits yeux bruns, derrière ses lunettes félines, me scrutent. Contrainte, je la salue à mon tour en souriant poliment tout en tapotant le cuir de mon sac. Je me penche vers l'avant pour observer Frédérique. Ce soir, elle porte un pantalon et un t-shirt noirs. Ses talons hauts rouges détonnent dans l'ensemble. WOW ! Je la vois qui dépose des breuvages exotiques sur le comptoir, empoche de l'argent et se dirige vers la caisse enregistreuse. Un arc-en-ciel se reflète dans le miroir en face de moi.

– Je ne pensais pas que tu viendrais, avoue ma voisine en m'examinant avec curiosité. Je m'appelle Monika.

Elle me tend une main osseuse. Je remarque ses ongles rongés. Beurk ! Je l'effleure. Tout à coup, je comprends. C'est elle, la meilleure amie de Frédérique. Elle a dû faire exprès de me garder une place au comptoir. Mais depuis combien de temps ? Trop, pensé-je, en voyant son air renfrogné. Je l'imaginais VRAIMENT plus belle.

– Salut, beauté !

Je sursaute. Frédérique prend mes mains et dépose ses lèvres sur mes doigts, les couvrant de chaleur. Elle ajoute :

– T'étais où ? Je m'inquiétais.

– Je magasinais, que je réponds, mal à l'aise, mais heureuse de la voir.

Elle pourrait juste éviter de me tenir les mains trop longtemps. Quelqu'un pourrait deviner qu'on est lesbiennes...

– Ça ferme à neuf heures, les boutiques, précise Monika, l'air bête.

– J'en ai profité pour manger, dis-je.

Elle m'agace, cette Monika !

– Laisse faire, Léa, roucoule Frédérique, je suis contente de te voir.

Elle serre mes mains. Dieu qu'elle est belle...

– Qu'est-ce que je te sers ? Un verre d'eau ? me demande-t-elle en riant.

– Non. Une limonade, que j'affirme en dégageant mes mains des siennes.

– Cool !

Elle me quitte. Mes mains sont moites. J'observe Monika à la dérobée. Elle avale sa bière et me regarde. Je souris, mais pas trop, juste assez pour paraître naturelle. Un silence gênant plane au-dessus de nos têtes. Que dois-je dire ? Frédérique dépose un verre devant moi, tout enjouée.

– Voilà ! Je te laisse entre bonnes mains, me dit-elle en faisant un clin d'œil à Monika. Je prends ma pause bientôt.

Elle repart. La *nerd* m'observe en arrachant l'étiquette sur sa bière. Moi, j'essaie de trouver un sujet de conversation pour passer le temps.

– Comment est-ce que vous vous êtes rencontrées..., Frédérique et toi ?

Je me félicite, j'ai posé la meilleure question pour la faire parler. Monika se ronge un ongle, réfléchit, puis boit au goulot. J'attends sa réponse en forçant mon sourire.

– Dans un bar, finit-elle par lâcher. Je me saoulais dans le quartier gai, à Montréal. Je voulais crever.

Mon sourire disparaît. Elle continue, les yeux dans le vague.

– J'avais descendu une dizaine de bières. Tout était flou. J'avais le goût de fermer les yeux, de déposer ma tête sur le comptoir. Fred m'a demandé si je voulais qu'elle appelle un taxi. J'étais enragée qu'elle me dérange.

– Elle souhaitait juste t'aider.

– Je le sais ! s'écrie-t-elle. Je voulais qu'on me laisse tranquille. J'étais en train de tout oublier.

Elle se ronge un autre ongle. Mauvaise habitude... Pourquoi Frédérique ne revient-elle pas par ici ? Je n'ai pas envie d'être prise toute seule avec Monika. Elle continue, absorbée par son récit :

– Le lendemain, Fred m'a raconté que je l'avais envoyée promener et que je m'étais écrasée sur le bar.

Elle prend une pause et ajoute :

– Je me commande une autre bière. Tu ne bois pas ta limonade ?

– Oui, oui.

Je me décide à prendre une gorgée en l'écoutant.

– Et qu'est-ce qui s'est passé après ?

– J'ai vomi... partout, s'esclaffe-t-elle. Je me rappelle avoir entendu des femmes rire. Si j'avais été en forme, je les aurais frappées ! s'écrie-t-elle en mimant le geste. Je me suis recouchée sur le comptoir et j'ai tout oublié. Un homme m'a prise dans ses bras et je me suis retrouvée dans un taxi. J'ai dormi toute la nuit sur le fauteuil de Fred. Le matin, je me suis réveillée à l'odeur du café. Et j'ai encore vomi.

– Sur le fauteuil ? que je lui demande, curieuse et dégoûtée.

– Non. Dans un chaudron. Fred avait prévu le coup. Je me rappelle sa débarbouillette mouillée, son verre d'eau froide. Elle m'a aidée à me rendre aux toilettes, m'a permis de me doucher. J'étais tellement sale... Je n'en reviens pas encore, j'avais taché mon chemisier. Quand je suis sortie, Fred était assise à la table de la cuisine et elle m'a conseillé d'avaler un café et des aspirines. J'étais vraiment malade...

Elle prend une pause, joue dans ses cheveux frisés, trop courts. J'ai de la difficulté à croire qu'elle soit amie avec Frédérique, elles sont à l'opposé. Mais ça me rassure, car je vois bien que « ma copine » n'est pas superficielle, qu'elle ne se tient pas avec des poupées parfaites, comme celles qui se promènent dans le bar.

– J'ai bu mon café lentement, m'apprend-elle. C'est en observant Fred que je me suis aperçue de sa beauté, souffle-t-elle soudainement.

Je fronce les sourcils. Sa voix est pleine d'émotions.

– Tu n'as pas à t'inquiéter, Léa, on est juste des amies, me précise-t-elle en se raclant la gorge.

– Oh... je n'imaginais rien entre vous deux.

– Pourquoi ? Je suis laide ? s'offusque-t-elle en me pénétrant du regard.

Je déglutis.

– Non, non ! Ce n'est pas ça. Je voulais dire que...

Elle me coupe la parole.

– Moi, au moins, je suis majeure !

Pour qui se prend-elle ? C'est quoi, son problème ? Qu'elle s'étouffe avec sa bière, tiens ! Je détourne la tête en songeant à mon âge. Elle a raison, et ça me fâche, mais je n'ai que dix-sept ans et je ne devrais pas être ici. J'avale une gorgée de mon breuvage quand elle reprend son récit. Je l'écoute distraitement en évitant de la regarder.

– C'est grâce à Fred que je m'en suis sortie. Elle m'a hébergée jusqu'à ce que je me trouve un logement, même si je n'arrêtais pas de lui répéter qu'elle aurait dû me laisser pourrir dehors.

Je ne comprends rien à son histoire. Curieuse, je lui demande pourquoi Frédérique l'a hébergée.

– Mon ex-copine m'avait jetée à la rue, me répond-elle, triste. Maudit que je l'aimais, cette fille-là ! Si je pouvais revenir en arrière et le tuer, m'avoue-t-elle, plein de violence dans la voix.

Mes yeux s'agrandissent de surprise et d'horreur.

– Qui ?

Je sens son haleine pleine de houblon près de moi quand elle s'approche pour se confier.

– Un gars l'a frappée derrière la tête pendant que je l'embrassais... en pleine rue. Es-tu capable d'imaginer ça, toi ? s'indigne-t-elle. Tu embrasses la femme de ta vie, devant l'immeuble où tu travailles, et un lesbophobe la frappe. Il lui a brisé le nez, le salaud !

Son récit est vraiment traumatisant. Je me demande quel est le lien avec Frédérique.

– Qu'est-ce que vous avez fait ?

– Sur le coup, rien. Personne n'a réagi. J'ai perdu le gars de vue. J'avais du sang partout sur moi. Ma blonde pleurait. Une femme a téléphoné aux policiers et j'ai accompagné mon ex dans la banque où je travaille. Je suis allée chercher un linge à vaisselle en courant. Elle l'a mis sur son nez pour bloquer les saignements. Je ne savais pas quoi faire, soupire-t-elle en se rappelant ces événements atroces. Les policiers sont arrivés et nous ont emmenées aux urgences. J'ai passé la soirée à leur décrire la scène et à suivre ma blonde en radiologie. On est sorties après le souper. Elle avait un gros bandage sur le visage. Veux-tu un autre verre ?

– Non, merci.

– Moi, je commande une bière.

L'autre serveuse s'occupe de nous. Quel dommage ! J'aurais aimé que Frédérique revienne me voir. Elle la prend quand, sa pause ? Je regarde autour de moi. Le bar déborde de clients. Y a-t-il des lesbophobes dans la salle ? Si oui, m'ont-ils vue tenir la main de Frédérique ? Je panique à cette idée. Monika recommence à me raconter son histoire.

– C'est à cause de lui si j'ai perdu ma blonde.

– Qu'est-ce qui s'est passé... une fois chez vous ?

– Elle m'a dit qu'elle irait vivre chez sa mère le reste de la semaine, que je devais faire mes valises, se rappelle-t-elle, déprimée.

– Pourquoi ?

– Ça faisait juste trois mois qu'elle était sortie du placard et le salaud l'a traumatisée. J'ai essayé de lui expliquer que c'était la première fois que ça m'arrivait, que c'était rare qu'un lesbophobe attaque en plein jour, mais elle ne m'a pas écoutée. Elle a rempli son sac de vêtements, puis elle est partie. Je voulais crever, mugit-elle.

Monika avale sa bière. Et si on me frappait aussi, en pleine rue ? Je pleurerais dans les jupes de ma mère. Je me cacherais dedans pour toujours. Qu'est-ce que je fais ici ? Après un moment où je m'imagine vivre la même situation que Monika, une question s'impose à moi.

– As-tu revu ton ex ?

– Non, regrette-t-elle. Elle doit être encore dans le placard. En passant, Fred m'a dit que tu n'avais pas encore fait ton *coming out*.

Son regard louvoie. Est-elle saoule ?

– J'ai peur de faire de la peine à mes parents, que je lui explique, déprimée de songer à cette étape inévitable de ma vie. Vous êtes amies depuis combien de temps ?

Je l'ai interrogée pour changer de sujet.

– Deux ans. Sais-tu ce que tu veux faire dans la vie, Léa ? saute-t-elle du coq à l'âne.

Elle aussi tente de faire diversion. Notre conversation est étrange.

– Je veux enseigner l'histoire au secondaire.

– Pourquoi ?

– Mon père m'a donné le goût de faire le même métier que lui. Disons que je suis née dans ses manuels.

– Penses-tu vraiment avoir le temps de fréquenter Fred quand tu commenceras le cégep ? murmure-t-elle.

– Oui.

À vrai dire, je n'y avais pas songé. De toute façon, ce n'est pas de ses affaires ! Elle ajoute sérieusement :

– Tu ne sais pas à quel point c'est exigeant après le secondaire. Et pourquoi est-ce que Fred t'intéresse au juste ? C'est pour te prouver que tu es lesbienne ? me nargue-t-elle.

Frustrée qu'elle me pose cette question, et rouge comme une tomate, je jette un coup d'œil à Frédérique en espérant qu'elle prenne sa pause. Monika a parlé à voix basse parce qu'elle ne voulait pas que son amie l'entende. Pas de danger avec la musique qui couvre nos voix.

Je bois ma limonade pour me calmer, pas envie de lui répondre. Monika fixe sa bouteille, déçue de mon mutisme. Est-ce bon signe ? Je l'ignore. Et je m'en fiche !

— Ça m'étonne que Fred s'intéresse à toi, me confie-t-elle du tac au tac. D'habitude, elle aime les femmes plus mûres. Et tu as l'air pas mal jeune..., ajoute-t-elle en me souriant méchamment.

C'est assez, je ne suis plus capable de la supporter. Elle est jalouse ou quoi ? Je ne l'aime pas, cette Monika ! Je me lève.

— Où sont les toilettes ?

— Près de la porte d'entrée.

Parfait ! Je m'apprête à me diriger vers les toilettes quand elle me rattrape par le bras. Je tourne rapidement la tête vers elle, indignée qu'elle me touche.

— Réfléchis bien, Léa, avant d'aller plus loin avec Fred. Tu pourrais le regretter, me menace-t-elle, chancelante sur son siège.

Je la fusille du regard avec l'envie de lui crier de me lâcher. M'efforçant au calme pour éviter de rougir de partout, je me dégage brusquement et me dirige vers les toilettes en tremblant de rage. Elle devrait se mêler de ses affaires. Elle est peut-être la complice de Frédérique, mais ce n'est pas une raison pour jouer les gardes du corps...

Je projette la porte des toilettes contre le mur et m'enferme dans une cabine. Je surchauffe. Assise sur le bol usé, je fais appel à mes techniques de respiration. Puis, la tête entre les mains, j'étouffe des larmes de frustration. Mais à ce moment-là...

– Léa ! T'es où ? s'inquiète Frédérique de l'autre côté de la porte.

J'ouvre rapidement. Elle est devant moi, désemparée. Je n'aurais pas dû me cacher. Qu'est-ce que Monika lui a raconté ?

Frédérique entre dans la cabine et referme derrière elle.

– Ça va ?

– Oui, dis-je en mentant.

Mes mollets heurtent la cuvette.

– Je m'excuse, Léa, dit Frédérique, d'un ton de voix sincère. Monika n'aurait pas dû te tester. Quand je l'ai vue t'empoigner, avec les yeux que tu as faits, j'ai demandé à l'autre serveuse de me remplacer. Es-tu correcte ?

– Oui, oui ! Ce n'est pas grave. Monika ne me dérange pas, j'ai juste mal à la tête. Je pense que...

Oh... Elle se rapproche. Mes mains s'engourdissent. Frédérique pose les siennes sur mes bras pour les caresser et chuchote.

– Je lui ai demandé de ne plus recommencer. Tiens. Je te passe ma clé. Tu peux m'attendre chez moi au lieu de te morfondre ici.

Je prends la clé, heureuse que Frédérique soit aussi attentionnée. Je la remercie en attendant qu'elle se retourne et ouvre la porte. Mais Frédérique ne bouge pas. Au contraire, elle fait glisser ses mains de mes bras sur ma taille, puis explore mon dos. Instinctivement, je tends mon corps vers elle. Nos seins se touchent. Je capote !

– Rapproche-toi, me susurre-t-elle à l'oreille.

Elle place mes bras autour de sa taille. Elle se love contre moi, m'enserre les épaules de ses doigts glacés. Elle dirige son visage dans le creux de mon cou. Ses magnifiques cheveux sentent les fleurs. Ses lèvres frôlent ma peau. J'enroule mes bras autour d'elle et sens ses courbes contre les miennes. Elle masse mon cou et l'embrasse. Je ferme les yeux. Son souffle se rapproche. Ma respiration s'accélère.

Elle pose ses lèvres sur les miennes. Je m'emballe et ouvre les yeux, effrayée de mal faire. Les siens sont fermés. Je m'oblige à l'imiter. Elle ouvre sa bouche et glisse sa langue sur la mienne. Je la sens, chaude et mouillée. Nos deux langues s'enroulent parfaitement. Je râle. Frédérique me répond en grognant de plaisir et m'embrasse passionnément.

Une musique vibre en moi. Frédérique explore mon dos, puis mes reins. Je soupire de désir, les paupières scellées. C'est tellement bon...

Sa main descend, mon entrejambe me chatouille et elle m'empoigne une fesse fermement.

J'ouvre les yeux, stupéfaite, en hoquetant. Frédérique me sourit et dépose un baiser sur ma joue en feu.

– On continuera plus tard, beauté.

Elle me fait un clin d'œil et quitte notre cachette. Je regarde la porte et touche mes lèvres de mes doigts. Notre premier baiser...

Je me faufile dans les escaliers rapidement et quitte le bar sans dire au revoir à personne. Une fois que je suis dehors, l'air frais glisse sur mon épiderme et me réconforte. Le vent tourbillonne dans mes cheveux, sous ma robe. Je marche quelques minutes qui me semblent une éternité. Il est minuit quand j'aperçois l'immeuble de Frédérique. Je fais une halte devant ma voiture pour prendre mon sac à dos. Trois hommes, assez costauds, au loin, parlent fort et se dirigent vers moi. Je panique. Ils étaient au bar, j'en suis sûre. Ont-ils vu mes mains dans celles de Frédérique ? Veulent-ils m'attaquer ? En tout cas, ils se rapprochent et me regardent en riant.

Je fouille dans mon sac pour trouver mon trousseau de clés, affolée, le souffle coupé. Je déverrouille et m'engouffre dans la voiture. Les trois hommes surgissent, passent à côté de l'auto, sans même m'accorder un regard, et me distancent. IDIOTE ! Je suis une idiote de première classe ! Monika m'a traumatisée avec son histoire. Toute chamboulée, je sors vite pour m'élancer dans la cage d'escalier et m'enfermer chez Frédérique.

Dans le salon, il fait noir. Je cherche l'interrupteur et allume. J'enlève mes sandales et les range soigneusement près de la porte. La plante de mes pieds adhère aux lattes du plancher dans le couloir. En entrant dans la chambre, je constate le désordre. Deux piles de vêtements jonchent le sol, entravent ma progression jusqu'au lit. Je les pousse de mes pieds et dépose mon sac sur l'immense matelas. Le lit n'a même pas été fait. Je prends ma brosse à dents et je jette un coup d'œil au miroir toujours au plafond.

Je quitte la pièce et entre dans la salle de bains. Les néons m'aveuglent, accentuent mes cernes dans la glace ovale en face de moi. Je fixe l'armoire, hésitant à l'ouvrir. Ma mère m'a déjà dit qu'on en apprend beaucoup sur les gens en examinant leurs accessoires de toilette. J'ouvre, rongée par la curiosité. Des parfums, du maquillage et des crèmes s'entassent. Puis, je tombe sur un drôle d'objet ressemblant à une minuscule pipe.

160

C'est quoi ? Je le prends. Wouach ! Ça pue ! Je le range à sa place en me demandant ce qu'elle fait avec ça. Se drogue-t-elle ? J'espère que non. Cette idée me déplaît. Il me semble qu'on peut s'amuser sans se droguer. Et c'est tellement contre mes principes !

Je bâille. L'appartement me semble trop silencieux. Je retourne dans la chambre à coucher et mets mon pyjama : une camisole blanche ainsi qu'un pantalon en coton. Frédérique n'arrivera pas avant un bon moment. Que puis-je faire pour passer le temps ? Le lit m'appelle, mais je ne veux pas dormir pour éviter d'avoir mauvaise haleine lorsqu'elle se glissera sous les draps. Surtout que je n'ai pas envie de m'observer sous toutes les coutures grâce au miroir. Le téléviseur fera l'affaire pour me tenir éveillée. Je retourne à mon point de départ, m'assois sur le fauteuil et m'empare de la télécommande en m'interrogeant sur ce qui peut bien jouer à cette heure.

CLAC ! Un bruit soudain me réveille en sursaut. Je me relève subitement. Mes yeux louchent, mon cou m'élance. Je cherche l'origine du bruit et découvre Frédérique dans l'entrée de la pièce. La main posée sur le chambranle de la porte, elle enlève ses talons hauts, les projette dans un des coins du salon. Son sac atterrit au même endroit. Je me redresse en me massant derrière le cou et l'observe soupirer de fatigue. Quelle heure est-il ?

– Ça va ? me demande-t-elle, visiblement épuisée.

– Je me suis endormie... il est quelle heure ?

– Quatre heures, soupire-t-elle.

– Déjà !

Frédérique s'étire comme une chatte et ajoute :

– Je vais prendre une douche. Tu peux m'attendre dans le lit, à moins que tu préfères me rejoindre sous l'eau.

Je deviens rouge écarlate. Elle n'attend pas ma réponse, marche sur la pointe des pieds et disparaît dans le couloir. Je l'entends qui fourrage dans ses tiroirs. Que dois-je faire ? Je ne suis pas prête... Curieuse, oui, mais pas prête ! Je décide d'aller au lit. En me redressant, je sens mes muscles au supplice. L'échine courbée, je glisse sur le parquet et j'entrevois la salle de bains. Celle-ci donne à moitié sur la chambre à coucher et à moitié sur la salle à manger. La porte est entrebâillée.

Frédérique veut-elle réellement que je la rejoigne sous la douche ? Je reste près de la porte à écouter le bruit de l'eau et me sens incapable d'entrer. J'ai trop peur de la décevoir. Dès lors, je pénètre dans la chambre à coucher. Allongée sur le matelas, je remonte les couvertures sur moi. Mes paupières s'affaissent toutes seules, l'eau ruisselle dans mon esprit avec un effet calmant. J'entends Frédérique tourner une poignée et tirer sur le rideau de douche. J'ouvre les yeux et vois, stupéfaite, mon reflet dans le miroir. Je l'avais oublié, celui-là. Je fais une grimace.

Peu de temps après, le lit se met à trembler. Une odeur de savon sillonne mes narines. Je remonte les couvertures sous mon menton. Frédérique se rapproche en chuchotant.

– Léa ? Dors-tu ?

– Non.

Je tremble. Qu'espère-t-elle ? Elle glisse sur les couvertures. Son souffle me chatouille le cou.

– Ça va ?

– Oui...

C'est la deuxième fois que je me retrouve au lit avec une fille. La première, avec Émilie, est à oublier.

– Veux-tu dormir ? se renseigne-t-elle en se rapprochant doucement.

– Je ne sais pas... je dois partir avant midi pour aller travailler. Je...

– Ce n'est pas la peine, beauté, me coupe-t-elle, j'ai envie qu'on s'embrasse.

Sur ce, elle dépose ses lèvres sur ma joue. Le bout de son nez est froid comme un glaçon. Nerveuse, je respire difficilement.

– Merci.

– De quoi ? que je m'étonne en observant les contours de son visage à peine perceptible dans la noirceur.

– D'être ici. J'avais peur que tu te sauves.

– Pourquoi ?

– À cause de Monika. Disons qu'elle est un peu... possessive. Tu vas apprendre à la connaître de toute façon.

Je fronce les sourcils. Je n'en ai pas du tout envie !

– Ouin...

– Embrasse-moi.

Je prends une bonne inspiration, ferme les yeux et sens la main de Frédérique sur ma joue. Ses doigts effleurent mes lèvres, puis sa bouche s'écrase sur la mienne. Elle me dévore complètement. Je savoure ce baiser.

Soudain, elle rit et me fait sursauter.

– Voyons, Léa ! Te caches-tu ?

Je suis déboussolée. Qu'est-ce qu'elle raconte ?

– Pourquoi ?

– Déshabille-toi, ajoute-t-elle, on crève ici !

Elle tire sur les couvertures et les rejette à mes pieds. J'écarquille les yeux, sans défense.

– Viens, mon petit *Mimosa Pudica*.

Mon quoi ? Elle recommence à m'embrasser, caresse mon bras et glisse sa langue sur mes lèvres tremblantes.

– Sors ta langue, me demande-t-elle chaleureusement.

Frédérique effectue de légers mouvements de rotation sur la mienne. Elle goûte bon. Puis, ma belle se relève doucement et m'écrase de tout son corps. Elle serre mes épaules en les empoignant. Comment réagir ? J'ai envie de la sentir sur moi, de la découvrir, mais sa fougue m'effraie. Je me dis qu'il faut arrêter de penser.

Mes mains se posent sur sa taille. QUOI !!! Je me rends compte alors qu'elle est COMPLÈTEMENT nue !

Je hoquette et dépose rapidement mes paumes brûlantes sur le matelas. Frédérique abandonne mes lèvres et s'accoude près de moi.

– Ça te dérange ?

– Je, je...

– Tu peux aussi te déshabiller, si tu veux, ce serait moins gênant pour moi, et surtout moins long.

Je n'ai aucune envie d'être nue ! Pas tout de suite !

– Je... j'ai mes... mes menstruations, que je mens.

– Ah oui ?! Bon...

Elle s'étend à côté de moi et effleure mon corps de ses doigts.

– Léa ?

– Oui.

– Je blaguais. Tu n'es pas obligée de tout enlever...

– Non ?! fais-je, étonnée.

– Juste ta camisole... et ton soutien-gorge, blague-t-elle en riant. En passant, je ne veux pas te mettre mal à l'aise, mais, la prochaine fois qu'on va dormir ensemble, j'aimerais que tu te rases le pubis. Au cas où !

Je suis sans connaissance. Pourquoi le ferais-je ? Est-elle rasée ? De quelle manière vais-je m'y prendre ? Est-ce que toutes les filles le font ? Est-ce normal ? Frédérique écrase ses lèvres sur les miennes et elles restent délicieusement soudées jusqu'à l'aurore lorsque je m'endors, épuisée.

Quelle heure est-il ? Où suis-je ? J'ouvre les yeux. Le visage de Frédérique est tourné vers son placard. Je regarde ma montre. Mais je n'y vois rien ! Je m'éloigne de Frédérique avec précaution et je descends du lit. Sur le bout des orteils, j'atteins le pas de la porte et la tire vers moi. Un rai de lumière envahit la pièce. M'empressant de sortir dans le couloir, je referme derrière moi.

MIDI ! BÂTARD ! Je devrais déjà être chez moi.

Mon sac à dos est dans la chambre à coucher. J'ouvre lentement, me penche et le prends. Dans la salle de bains, je m'habille en deux temps, trois mouvements.

Il ne me reste plus que deux heures pour me rendre au travail ! Une demi-heure de route et quelques minutes pour prendre ma douche, me vêtir, discuter avec mes parents, afin de leur résumer le soi-disant spectacle que je suis soi-disant allée voir, et partir travailler.

Je range toutes mes affaires dans mon sac et pose ma main sur la poignée de la porte, incapable de la tourner. Dois-je me sauver comme une voleuse ? Devrais-je écrire un mot pour m'excuser de mon départ précipité ? Devrais-je embrasser Frédérique avant ? Pas le temps de réfléchir et encore moins de traîner. Mes parents vont s'inquiéter et il serait impossible pour Ariane de justifier mon absence s'ils téléphonaient chez elle.

J'ouvre donc la porte et sors dans le couloir. Alors que je pensais m'éclipser discrètement sur la pointe des pieds, une surprise m'attend. Frédérique est adossée au mur, les bras croisés. Ses cheveux pointent dans tous les sens. Elle a revêtu une robe de chambre rouge. Elle a un air suspicieux.

– Qu'est-ce qui se passe, Léa ?

– Je suis en retard. Je travaille bientôt.

– OK. Panique pas... tu as tout le temps pour te rendre chez toi. Veux-tu que je te fasse un café ? me propose-t-elle gentiment.

– Non merci. Il faut vraiment que je parte ! Mes parents s'attendent à me voir arriver d'un instant à l'autre.

– Et ils ne savent pas que tu es ici, grommelle-t-elle.

– Non.

Ses yeux noirs me fixent sans bouger. Est-elle frustrée ? Puis, pleine d'espoir, elle me demande :

– On se voit vendredi prochain ?

– Non... je...

Ses yeux se rétrécissent.

– Pourquoi ? s'écrie-t-elle.

Je lui rappelle, mal à l'aise :

– J'ai des examens jusqu'à jeudi et... vendredi, c'est mon bal.

Je croyais le lui avoir dit. Frédérique regarde ses pieds nus et se met à bougonner.

– On se voit quand alors ?

– Je ne sais pas, je t'enverrai un message, dis-je maladroitement. Je travaille toute la fin de semaine.

Qu'ajouter de plus ? J'observe ma montre : midi trente. Bâtard que le temps passe vite !

– Écoute, Léa. Arrête de regarder l'heure. Va-t'en ! lance-t-elle, en colère.

Je ne bouge pas, c'est impossible. Rien ne se passe comme je l'aurais désiré. Me reparlera-t-elle si je pars ? J'angoisse et me mets à bégayer.

– Je m'excuse, je ne veux pas me sauver comme ça, c'est juste que...

Frédérique semble affligée.

– Ce n'est rien. Je vais attendre que tu me textes. J'ai plein de choses à faire de toute manière, réplique-t-elle, faussement indifférente.

– Es-tu sûre ?

– Bien oui, Léa. Vas-y. Je vais boire mon café.

169

Je m'approche d'elle pour l'embrasser, mais elle lève la main, créant ainsi un obstacle entre elle et moi.

– À ta place, je m'abstiendrais. J'ai besoin d'une gomme.

– Je t'écris, promis, dis-je, déçue de la tournure des événements.

– Salut, beauté.

Elle me lance un baiser au passage et se rend dans la salle à manger. Je cours dans le couloir, enfonce mes pieds dans mes sandales, ouvre la porte et me retrouve devant les MAUDITES marches que je prends le temps de descendre convenablement.

Je roule depuis une quinzaine de minutes quand j'entends un grondement sourd dans le creux de mon ventre. Rien avalé depuis dix-neuf heures. J'ai l'estomac dans les talons et ça me donne la nausée. J'allume la radio pour me tenir éveillée. La musique envahit aussitôt l'habitacle de la voiture. J'espère de tout cœur que mes parents ne téléphoneront pas à Ariane.

Mon estomac hurle. Impossible de travailler aujourd'hui. En arrivant chez moi, je téléphonerai à mon patron et je lui dirai que je suis malade. Quelle honte ! Moi qui manque rarement. Et après, j'irai prendre une douche et me coucher, si mes parents me laissent en paix !... Je sais d'avance qu'ils me poseront des questions sur le déroulement de ma soirée. Et je devrai ENCORE mentir.

En voyant défiler les champs autour de moi, je repense à Frédérique et à ses baisers passionnés. À mon désir. Au délice ressenti en caressant sa peau nue. C'était mieux que dans mon imagination. Étrange. J'étais si nerveuse, si apeurée par ce qui pouvait se passer. Je me rappelle Sébastien et ses baisers. Pourquoi n'ai-je pas éprouvé les mêmes sensations avec lui ? À l'époque, j'aurais tout donné pour être « normale ».

Je serre le volant en songeant à cet épisode de ma vie. C'est fini. À bien y penser, je serais peut-être encore avec Sébastien, à attendre que le coup de foudre me frappe, s'il n'y avait eu Émilie et ses baisers. Rien à voir avec ma Frédérique.

Après de longues minutes de route, je remarque une pancarte verte. Plus que deux kilomètres avant d'arriver. Enfin...

Je diminue le volume de la musique et repense à Émilie. Que fait-elle en ce moment ? Je ne l'ai pas vue depuis...

CHAPITRE 7
Émilie

À la fin de ma quatrième année de secondaire, avant de rencontrer Émilie, je croyais vivre dans le monde réel, MON monde. J'avais tout pour être heureuse : des parents attentionnés, des amis merveilleux et un amoureux qui me vénérait, Sébastien. Un monde parfait, quoi ! Mais je me sentais pourtant de plus en plus étrangère. En fait, j'avais l'impression de me regarder vivre ma vie, d'être spectatrice de mon existence, comme si j'étais en dehors de mon corps.

À l'école, avec Ariane et Alexis, je parlais de nos couples respectifs, de nos avenirs hypothétiques, sans y croire. À la maison, je passais tout mon temps dans mes livres. L'esprit occupé, j'évitais de déprimer en songeant à Sébastien, à mes sentiments amoureux inexistants. Malgré cela, quand j'étais chez Alexis avec Sébastien, je posais mes lèvres à regret sur celles de mon copain, repoussant ses mains discrètement pour éviter de blesser son amour-propre. Je ne l'aimais pas d'amour, mais ce n'était pas une raison pour lui faire de la peine.

Mon monde semblait donc parfait vu de l'extérieur. Mais vu de l'intérieur, dans mon corps, dans ma tête, je désespérais. Je ne savais plus comment faire pour m'en sortir et, en cachette, je pleurais tout le temps. Allais-je devoir vivre encore longtemps de cette manière ? Déconnectée de ma vie, rêvant de la ressentir en vrai ? Et non plus de la regarder de loin.

Le mois de mai était particulièrement frais cette année-là. Nos enseignants ont commencé à nous préparer à nos examens de fin d'année. Cette fois-ci, à ma grande joie, Sébastien devrait me laisser tranquille pour me permettre d'étudier.

Notre professeur de français avait décidé de créer de nouvelles équipes pour analyser les quatre types de textes argumentatifs.

J'allais faire équipe avec Émilie. Tout ce que je savais d'elle, c'était qu'elle était solitaire, qu'elle avait toujours un roman entre les mains et qu'elle s'habillait TRÈS mal. Ses vêtements étaient souvent dépareillés et trop grands. Sa longue frange brune cachait ses yeux. Comme j'étais habituée de travailler avec Ariane, j'ai été frustrée à l'idée de devoir coopérer avec une autre fille. J'avais peur que ce soit une paresseuse et je détestais travailler à la place des autres.

Quand notre enseignant nous a indiqué qu'il était temps de rejoindre nos nouveaux partenaires, je me suis déplacée à reculons en jetant des coups d'œil attristés à Ariane. Elle, au moins, travaillait avec Jessica, une fille vaillante. La mienne était paresseuse et renfermée.

J'ai poliment salué ma coéquipière en m'assoyant près d'elle et en déposant mes affaires sur son bureau encombré. Elle m'a fait un discret signe de tête. J'ai alors réussi à voir son visage pour la première fois d'aussi près. Elle ne se maquillait pas, mais aurait dû le faire en mettant du crayon noir sur ses paupières, car ses yeux étaient d'un bleu profond, presque marin. Je n'avais jamais rencontré une fille avec des iris aussi hypnotisants.

Sans attendre qu'elle me suggère une façon de travailler, je lui ai imposé MA méthode : je lirais le premier texte, à voix haute, en surlignant les informations importantes. Puis, si elle le voulait, elle pourrait m'aider à les catégoriser. Je l'ai regardée pour obtenir son approbation. Un silence troublant s'est installé entre nous et j'ai senti son regard curieux se poser sur moi.

Nous disposions de quatre cours pour terminer notre analyse. Dès le deuxième, je me suis faite à l'idée d'avoir une coéquipière totalement passive et me suis assise à côté d'elle sans la saluer. J'ai commencé un autre texte, quand, à ma grande surprise, elle m'a adressé la parole, m'incitant à retourner au premier texte. Abasourdie, j'ai fait ce qu'elle demandait en constatant que sa voix était douce et agréable. Tout en l'écoutant m'expliquer le travail supplémentaire qu'elle avait fait dans ses temps libres, je me suis félicitée de constater qu'elle maîtrisait bien la matière. Ainsi, je n'aurais plus à tout faire. Soulagée, je l'ai complimentée à propos de ses efforts. Son visage a viré au rouge.

J'en ai appris plus sur Émilie en quatre cours qu'en une année complète. On ne se voyait jamais en dehors du cours de français, mais, comme on prenait de l'avance et qu'on travaillait les textes le soir, on avait tout le temps nécessaire pour faire connaissance en classe. Qu'ai-je découvert sur elle ? Qu'elle détestait les sports, les foules et qu'elle passait son temps à la bibliothèque.

Au quatrième cours, je lui ai déclaré que j'aimerais bien retravailler avec elle un de ces jours. Presque au même moment, notre enseignant a relevé la tête, qu'il tenait jusqu'alors cachée derrière son ordinateur, et il nous a annoncé que nous devrions faire, en plus, un résumé des quatre textes. Nous avons tous rouspété, tout en sachant que nous n'aurions pas le choix si nous voulions être autorisés à passer l'examen. Je soupçonnais la plupart des jeunes de s'y mettre seulement à la dernière minute, ce qui n'était pas dans mes habitudes. C'est pourquoi Émilie et moi avons décidé de nous retrouver chez elle le week-end suivant. Comme on ignorait combien de temps on passerait ensemble sur le résumé, je dormirais là-bas.

Le samedi suivant, mon père, mon éternel chauffeur, m'a déposée devant la maison d'Émilie. Le soleil plombait. Je suis restée stupéfaite de voir à quel point sa demeure était énorme. Un vrai palace ! J'avais mal jaugé Émilie à cause de ses vêtements.

Pendant qu'elle prenait mon sac, je me suis tenue dans le hall d'entrée à contempler l'immense escalier de marbre en face de moi. Émilie m'a fait faire le tour de son château, puis nous avons installé nos romans et nos cahiers sur la table en bois massif dans la salle à manger.

Dans le courant de la journée, à plusieurs reprises, la mère d'Émilie est passée déposer des grignotines sur la table. Tout était parfait. Même si je me sentais toute petite dans ce décor grandiose... Rédiger le fameux résumé nous a pris tout l'après-midi. Ensuite, nous avons dévoré des sushis avec ses parents et ses deux frères. Dans la soirée, nous nous sommes isolées dans la chambre d'Émilie pour écouter de la musique avec son iPod, côte à côte, sur son lit. Nous avions chacune un écouteur dans une oreille. Quand sa mère est venue nous avertir que toute la famille allait dormir, et qu'il nous fallait chuchoter au lieu de chanter, Émilie a verrouillé la porte et s'est accoudée près de moi.

J'étais sur le dos. Elle me regardait et m'a dit qu'elle aimait ma façon de me coiffer, qu'elle voudrait être capable de m'imiter. Je lui ai gentiment répondu que j'essaierais de l'aider un de ces jours. Encouragée par ma proposition, elle a commencé à jouer avec une mèche de mes cheveux. J'étais fatiguée, à l'aise. Mes paupières se sont alourdies alors que je sentais sa main me caresser. À un moment, elle s'est redressée et rapprochée. Les yeux clos, je ne me suis pas rendu compte qu'elle se penchait vers mon visage. Alors, tendrement, elle a déposé ses lèvres sur les miennes.

Je me suis raidie, étonnée. Pourquoi m'embrassait-elle ? Croyait-elle que j'étais lesbienne ? L'était-elle ?

À moins qu'elle veuille s'amuser... Pouvait-on embrasser une amie comme ça, tout simplement ? L'avait-elle déjà fait avant ?

Comme je ne réagissais pas, sans voix, et perdue dans mes pensées, Émilie a insisté. Délicatement, elle a passé sa langue sur mes deux lèvres. Bizarrement, la sensation était agréable. J'ai cessé de penser. J'ai même osé entrouvrir ma bouche pour sortir le bout de ma langue. Je voulais goûter la sienne. Lorsque nos langues sont entrées en contact, je me suis mise à gémir. C'était BON ! *Oh my God !*

Émilie a déposé sa main sur mon sein gauche, l'a pétri tout en m'embrassant passionnément. Je lui ai rendu son baiser, excitée, mais je me suis questionnée à nouveau. Qu'est-ce que je faisais ? Pourquoi est-ce que je me laissais faire ? Pourquoi aimais-je qu'elle me caresse ? Pour quelle raison rêvais-je, tout à coup, de mettre mes mains sous son chandail ? Qu'est-ce qui se passait dans mon ventre, entre mes cuisses ? C'était exactement comme dans mes rêves, avec Sébastien, sauf que ce n'était pas lui qui me faisait frissonner de plaisir. C'était une fille ! Émilie, la dépareillée !

Soudain, j'ai compris que je me cachais la tête dans le sable depuis TRÈS longtemps en croyant qu'un couple devait être formé d'un homme et d'une femme. En acceptant les lèvres d'Émilie sur les miennes, et en découvrant que j'y prenais plaisir, j'ai d'abord ressenti du soulagement. « Enfin ! » ai-je pensé. J'étais envahie par l'envie, le désir, les fourmillements et les élancements. Puis, l'angoisse s'est infiltrée en

moi. Qu'allais-je devenir avec de tels sentiments ?
Qu'allais-je dire à ma famille, à mes amis et même
à Émilie ?

Elle a continué de m'embrasser tout en promenant ses mains sur mon corps, sensible et vulnérable.
À ma grande surprise, j'ai constaté que mon mame-
lon avait durci et qu'il répandait des vibrations sous
ma peau, comme des ondes. Je me suis mise à gémir
tout en m'apercevant, frustrée, que Sébastien n'avait
jamais su provoquer de telles sensations en moi.
En entendant mes gémissements, Émilie s'est sentie
encouragée. Elle a glissé sa main sous mon chandail,
caressé mon ventre et s'est aventurée jusqu'à mon
soutien-gorge.

Choquée, ravie, je ne savais plus que faire ni penser.
Je l'ai repoussée et j'ai éloigné ma bouche de la sienne
en me retournant. J'ai gardé mes mains enfouies sous
l'oreiller de peur qu'elles me trahissent. Je me voyais
déjà renverser ma camarade et l'embrasser à pleine
bouche. Je lui arrachais son chandail et dégustais ses
gros seins. Mais, au lieu de ça, tordant toujours le dessous de mon oreiller entre mes mains, je l'ai entendue
déposer son iPod sur la table de nuit. Elle a ensuite
tiré sur les couvertures et s'est couchée comme si de
rien n'était. Était-ce un jeu pour elle ? Frustrée, rassurée, j'ai laissé mes doigts relâcher l'oreiller tordu en
songeant que je n'osais pas me lever pour mettre mon
pyjama.

Toute la nuit, je suis restée sur la couverture de
peur que nos deux corps n'entrent encore en contact.

Ma tête m'a interdit de faire face à Émilie. Immobile, j'ai attendu dans le silence, puis je me suis concentrée sur sa respiration pour essayer d'imaginer ce qu'elle ressentait de son côté. Et, très vite, je me suis rendu compte qu'elle s'était déjà assoupie et même qu'elle ronflait légèrement. Comment faisait-elle pour vivre tout ça si tranquillement ? N'était-ce pas sa première fois avec une fille ? Moi, j'étais toute tourmentée. Les minutes ont passé. Et, à mon tour, je me suis endormie, totalement vidée.

Le lendemain matin, vers les huit heures, nous nous sommes réveillées. Émilie s'est précipitée dans la salle de bains. En son absence, j'en ai profité pour m'observer dans le miroir. Des cernes énormes boursouflaient le dessous de mes yeux. J'étais moche, méconnaissable.

À son retour, elle m'a invitée, tout naturellement, et en souriant, à déjeuner. Se souvenait-elle de notre baiser ? De mon côté, je n'étais pas prête à l'oublier. J'ai pris mon sac à dos et je l'ai suivie en rougissant. Nous avons mangé notre pain grillé sans nous parler. Pour sa part, elle papotait avec sa mère.

Quand j'ai fini de tout engloutir, j'ai demandé si je pouvais appeler mon père. La mère d'Émilie m'a passé le téléphone sans fil tout en m'invitant à revenir chez elle à l'occasion. Elle a ajouté que sa fille recevait rarement ses amies à la maison. J'en ai déduit que j'étais donc sûrement la première qu'elle embrassait. Mais pourquoi l'avait-elle fait ? M'aimait-elle ? J'étais à l'envers et frustrée qu'elle évite d'en parler. Le voulais-je, de toute façon ? Que ferais-je si elle me disait qu'elle était amoureuse de moi ?...

Impatiente de partir, j'ai attendu mon père dans l'entrée. Émilie me collait aux baskets, silencieuse. Quand j'ai entendu le klaxon, je me suis précipitée à l'extérieur. Elle m'a suivie en criant qu'elle avait hâte de me revoir à l'école. Muette comme une tombe, je suis montée dans la voiture de mon père, qui a démarré aussitôt.

En conduisant, il m'a raconté sa soirée avec un couple d'amis. Je ne l'écoutais pas. Tout ce que je désirais, c'était prendre un bain chaud et m'installer sous les couvertures dans mon lit.

Une fois à la maison, j'ai dit à mes parents que j'étais fatiguée et je me suis cachée dans la salle de bains.

Une tonne de savon moussant flottait sur l'eau bouillante. J'ai laissé le liquide m'engloutir. Sourde, j'ai sombré dans le calme tout en retenant ma respiration. Au bout d'un moment, suffocante, je me suis assise et la mousse a glissé sur moi. Fermant les yeux, je me suis vue embrasser Émilie dans mon bain, la caresser pour découvrir son corps. Puis, elle s'est transformée. Julie a pris sa place. Ses longs cheveux noirs cachaient son buste. Elle m'a regardée avec tendresse et amour. Cet amour que j'avais tant désiré quand j'avais douze ans...

Émilie venait de m'ouvrir les yeux. J'étais lesbienne. Je l'avais TOUJOURS été !

Heureusement, le lendemain, à l'école, Émilie a évité de parler de nos rapprochements aux autres élèves ou de l'afficher sur son profil Facebook. Je n'avais pas dormi de la nuit à cette idée. En fait, pour ma propre sécurité, j'avais pris la décision de l'éviter et de ne plus retourner chez elle. Pourquoi ? Parce que je voulais rester Léa, l'hétérosexuelle, au moins le temps de finir mon secondaire. Je n'étais pas folle, je savais que je me ferais niaiser si tout le monde le découvrait. Et je n'avais envie de parler de mon orientation sexuelle à personne ! J'avais trop honte...

Dans le cours de français, je suis restée assise, derrière mon bureau, en évitant de tourner mon regard vers Émilie. Mais, quand notre prof nous a dit que nous pouvions ranger notre matériel, elle est passée à côté de moi et m'a remis une lettre que j'ai immédiatement cachée dans la poche de ma veste.

Ensuite, j'ai demandé à mon enseignant la permission de me rendre aux toilettes pour la lire tranquillement. Assise sur la cuvette, j'ai découvert qu'Émilie m'aimait et éprouvait une profonde détresse en constatant que je l'ignorais. Elle s'excusait pour ses baisers, souhaitait que nous nous parlions et finissait en me jurant de garder notre secret.

J'ai déchiré sa lettre et l'ai jetée dans la toilette. Les morceaux de papier ont disparu dans le tourbillon. Personne ne devait rien découvrir. PERSONNE !

De retour en classe, je lui ai glissé un mot à mon tour qui disait que j'étais désolée. Rien de plus. Ses yeux se sont remplis de larmes. Au son de la cloche, je suis partie rejoindre Ariane.

Le soir même, après le souper, je me suis encore enfermée dans ma chambre et j'ai ouvert mon cellulaire. Des larmes de soulagement et de tristesse coulaient sur mes joues lorsque j'ai texté à Sébastien. En gros, j'ai écrit qu'il méritait mieux que moi, que j'étais toujours en train d'étudier et que d'avoir un chum me déconcentrait, m'empêchait d'atteindre mes objectifs scolaires. En sanglotant, je m'excusais de lui faire de la peine, je l'assurais que je ne changerais pas d'idée et que je voulais qu'on se sépare. Il pouvait m'oublier.

J'ai envoyé le message en me maudissant. Tous ces pleurs pour rien... Si j'avais su que je préférais les filles, je ne serais jamais sortie avec lui. JAMAIS ! Je me haïssais !

Quelques minutes après avoir envoyé mon texto, j'ai vécu une des soirées les plus longues de ma vie. Le téléphone a sonné. Sébastien voulait à tout prix me parler. Je refusais. Au début, ma mère ne comprenait pas pourquoi il s'entêtait à vouloir discuter avec moi jusqu'à ce qu'il lui dise qu'il voulait connaître la raison de notre séparation. Elle a alors tout fait pour me convaincre de prendre le téléphone. Je restais les bras croisés, sur mon lit, à fixer mes pieds. Découragée, ma mère a essayé de rassurer Sébastien en le convainquant que je le rappellerais. Je ne l'ai pas fait.

Plus tard, après avoir expliqué la « raison » de ma rupture à mes parents, j'ai dû recommencer mon discours quand Alexis m'a téléphoné. Il ne comprenait pas ma décision, m'a révélé que Sébastien était dévasté. Je lui ai répété que je ne voulais plus de copain parce que je manquais de temps pour étudier. Alexis n'a rien ajouté.

Puis, un mois s'est écoulé.

J'étais encore couchée sur mon lit, à fixer le plafond, à observer chaque fissure et irrégularité. « Bouge, Léa ! Bouge ! » m'ordonnai-je, car j'avais un examen de sciences le lendemain. Pas capable de me lever ni de fouiller dans mon sac pour prendre mes notes de cours. Je me comparais à une pile à plat, usée. Une chance que mon cerveau enregistrait la plupart des infos en classe, même si me concentrer devenait de plus en plus difficile. Quand même, mes notes avaient baissé. Si je continuais ainsi, je pourrais dire adieu à ma bourse d'études.

En découvrant que j'étais lesbienne, quatre semaines plus tôt, j'avais commencé à déprimer. Plus les journées passaient, plus je me sentais seule. À part Émilie et moi, qui pouvait se vanter d'être lesbienne à l'école ?! Personne !!!

Est-ce que j'étais née comme ça ? Avais-je attrapé un virus qui avait modifié mes cellules ou mes hormones ? Est-ce que j'étais lesbienne parce qu'enfant unique ? Pourquoi moi ? Qu'est-ce que j'avais de pas correct ? Toutes ces questions me revenaient en tête constamment, m'épuisaient, me rendaient triste. Penser à mon avenir me démoralisait davantage. Je ne voyais que la déception dans les yeux de mes parents. Comment pouvais-je imaginer leur avouer que je préférais les filles aux garçons ? Que penseraient-ils de moi ? Je ne serais plus la petite fille parfaite qui les rendait si fiers... Je me transformerais en bête étrange à cacher. La seule lesbienne du quartier, vivant sous leur toit. Quelle honte !

Et mes amis... Leur mentir me puait au nez. Ariane croyait que j'étais folle de rejeter Sébastien et ne comprenait toujours pas mon choix. Si elle me reprochait cette séparation, qu'est-ce qui se produirait quand elle apprendrait que j'avais laissé mon amoureux après avoir constaté que c'était cent fois meilleur d'embrasser une fille ? Comment pourrait-elle être amie avec une lesbienne ? Si quelqu'un l'apprenait, ça ferait le tour de l'école en quelques heures. Mieux valait garder mon secret bien enfoui pour éviter que mes amis souffrent du fait de se tenir avec moi. Pas le goût qu'ils se fassent niaiser ou qu'ils m'abandonnent.

Cette dernière image me paralysait. J'aurais mieux aimé qu'on me rentre dans les casiers, qu'on me traite de gouine ou de brouteuse plutôt que de perdre Ariane et Alexis. « Allez, Léa ! Secoue-toi ! Tu n'as qu'à faire semblant d'être hétéro, d'être heureuse. Plante-toi un sourire sur le visage. Occupe-toi en étudiant. En te défonçant au gym. Peut-être que ton énergie reviendra ? »

Je me suis assise sur mon lit en me passant la main dans les cheveux. Ils étaient tout emmêlés. Je pourrais les laisser de cette façon vingt-quatre heures sur vingt-quatre. Pas grave... de toute manière, je n'avais plus de gars à séduire. J'ai pris mon sac, déposé à côté de ma table de chevet, en me disant qu'il pesait une tonne, lorsque j'ai entendu des petits coups contre la porte. Ma mère a passé sa tête à l'intérieur avant d'entrer. Elle avait l'air préoccupé.

– Léa ! Est-ce que je peux te parler ?

– Il faut que j'étudie, maman, essayai-je, pour la décourager.

– Ce ne sera pas long.

J'ai poussé un soupir de résignation en sortant mon manuel de sciences. Ma tête tournait, pas assez mangé. Comme d'habitude.

Ma mère s'est installée au bout du lit et a croisé ses mains sur ses genoux, le regard sérieux.

– Tu sais que tu peux me parler, me rappela-t-elle, attentionnée. De tout !

– Oui, maman, fis-je en jouant à l'ado TRÈS accaparée par ses études.

– Pourrais-tu me regarder ? s'offusqua-t-elle. Ton père et moi, nous nous inquiétons pour toi.

Mon regard s'est posé sur elle à contrecœur. Pas besoin de chercher bien loin pour deviner la raison de sa présence. J'avais tout le temps l'air bête, je m'enfermais dans ma chambre à longueur de soirée, je n'avais jamais le goût d'aller m'entraîner et je picorais dans mon assiette tous les soirs.

– Ma puce, s'est-elle radoucie, quand j'avais ton âge, moi aussi, j'ai vécu une grosse peine d'amour.

Ah non ! Pas une histoire personnelle ! Je me suis énervée.

– Maman...

– Laisse-moi parler, fit-elle en levant la main. J'avais quatorze ans. Je sortais avec un super beau gars rencontré dans mon cours de français. On est sortis ensemble un an...

Blablabla... Je le savais qu'elle voulait m'aider en me racontant son histoire, qu'elle souhaitait me rassurer, me donner l'illusion qu'on était solidaires dans la douleur, mais elle ignorait complètement que je déprimais pour une tout autre raison. Si elle savait... Un petit sourire a étiré mes lèvres. Dans ma tête, je me suis rejoué la scène.

Ma mère cognait à ma porte, entrait, sans y être invitée, puis me rejoignait sur le lit. L'air préoccupé, elle disait : « Ma puce, quand j'avais ton âge, moi aussi, j'ai embrassé une belle fille et je déprimais parce que je pensais être lesbienne. » J'ai retenu un fou rire. *My God* ! C'était la première fois en quatre semaines que le goût de m'esclaffer me venait naturellement.

J'ai pris une profonde inspiration pour me calmer, soulagée de retrouver un peu de joie de vivre. Ma mère n'a rien remarqué et a continué de me narrer son drame amoureux. Je l'écoutais à peine, juste assez pour donner l'illusion d'être attentive. Elle s'arrêterait sûrement un jour... et je pourrais enfin « essayer » d'étudier pour vrai.

La fin de l'année s'est terminée par une série d'examens stressants. À l'école, j'évitais de croiser Émilie. À la maison, je ne répondais jamais aux appels de Sébastien, qui ont cessé rapidement. Mes parents désapprouvaient mon attitude, mais je m'en fichais. C'était le moindre de mes soucis. J'essayais seulement de garder la tête hors de l'eau. Plus l'été approchait, plus je sombrais. Je me trouvais laide, anormale et différente des autres. Un incontrôlable sentiment de panique me surprenait à n'importe quelle heure du jour ou de la nuit. J'avais alors de la difficulté à respirer. Une chance que je pouvais appliquer mes techniques de contrôle, mais elles s'avéraient de plus en plus inefficaces.

À la fin de juin, j'ai passé une entrevue pour obtenir un emploi dans un salon de quilles. C'était mon vœu le plus cher : meubler mon temps. Mon bulletin scolaire a impressionné le patron, malgré le fait que mes notes aient baissé, et il m'a engagée à la réception. Pour la première fois de ma vie, je travaillais.

J'occupais mon esprit et mon corps, et ce, en acceptant le plus d'heures possible pour éviter de me retrouver avec Ariane et Alexis. Eux, de leur côté, ils essayaient par tous les moyens de me réconcilier avec Sébastien. Rien à faire !

En me voyant travailler autant, mes parents ont fini par s'inquiéter de nouveau, mais je leur ai fermé le clapet en leur disant que je désirais économiser pour le cégep. Ils ne m'ont plus importunée. Mais je sentais souvent le regard préoccupé de ma mère sur moi.

Pouvaient-ils me laisser tranquille ? Je voulais m'épuiser, oublier qui j'étais. Une lesbienne... une femme à femme... une gouine... J'avais envie de disparaître, mais je les aimais, mes parents, et Alexis, et Ariane. En attendant de trouver une solution à mon problème, mon temps, je le passais à pleurer. Quand on m'invitait à sortir, je refusais et m'enfermais dans ma chambre. Je suis restée dans cet état une bonne partie de l'été.

Un matin, Ariane s'est présentée chez moi. J'étais sur mon lit et j'observais le plafond, amorphe. Elle est entrée en trombe et s'est écrasée à mes côtés. J'étais convaincue que ce moment allait arriver, qu'elle viendrait, tôt ou tard, me tendre une perche. Allais-je la saisir ? En avais-je seulement envie ? Les yeux fermés, j'ai attendu qu'elle parle.

– Léa ? Qu'est-ce qui se passe ?

Combien de fois avais-je refusé de la voir depuis que j'avais découvert quel monstre j'étais ? Une quinzaine ? Peut-être plus. Elle s'est accoudée sur le lit. J'ai senti sa chaleur. Et son parfum vanillé. Je me suis retenue de pleurer parce que j'avais envie de tout avouer, qu'elle m'enveloppe de ses bras pour me consoler. Mais j'ai ravalé mes sanglots et me suis tournée sur le côté. Elle s'est alors écriée :

– Léa ! Regarde-moi quand je te parle. Qu'est-ce qui te prend ?

Je l'ai sentie enjamber mon corps. Elle s'est plantée devant moi. Son visage était près du mien.

– Qu'est-ce qu'il y a ? Je capote. Dis quelque chose.

Des larmes ont glissé sur mes joues. Elles coulaient toutes seules. Ariane s'est mise à me caresser le bras, visiblement affectée par ma peine. Savait-elle à quel point j'avais peur de la perdre ?

– Ne t'inquiète pas. Je suis là. Je t'aiderai. Je te comprends, débita-t-elle, la voix rassurante.

Comprendre quoi ? Que j'allais faire exploser une bombe quand j'oserais lui avouer mon orientation sexuelle. Et mes parents... mes parents... Mes larmes ont redoublé. Elle ne comprenait rien ! Elle ne savait rien !

– Je m'excuse, a-t-elle chuchoté soudain.

J'ai cessé de pleurer, intriguée. En reniflant, je lui ai demandé pourquoi elle s'excusait.

– De t'avoir suggéré de reprendre Sébastien. Je le vois bien, là, que tu ne l'aimes plus... même s'il est parfait pour toi, mais je sais maintenant pourquoi tu nous repousses, Alexis et moi.

– Ah oui ? hoquetai-je.

– On est juste déçus, c'est tout. Mais ce n'est pas grave. Tu trouveras un autre gars !

Le regard pétillant, Ariane me souriait. Je l'aimais tellement. Toujours optimiste. J'ai soupiré en me rappelant que j'étais chanceuse. J'étais peut-être une lesbienne déprimée, mais j'avais une amie merveilleuse. J'ai plissé le coin de ma bouche pour lui faire comprendre que j'appréciais ses bonnes paroles. Elle a semblé satisfaite de ma réaction.

– Il faut sortir. Ça ne sert à rien de rester enfermée et tes parents s'inquiètent, me lança-t-elle en se levant. Je sais que tu es en congé aujourd'hui. Ton père nous laissera au centre commercial. On pourrait se promener et dépenser un peu ! Hein ?!

Je n'ai pas voulu la décevoir. Ma peine, quant à elle, s'est repliée momentanément dans le creux de mon ventre. Après tout, peut-être avait-elle raison ? Il fallait que je me change les idées et ça irait mieux. J'ai accepté sa proposition et je me suis habillée. Mon père nous attendait déjà dans la voiture...

J'ai passé presque tout mon temps libre avec Ariane. Je ne voyais Alexis que rarement. Elle se le réservait quand il ne travaillait pas comme plongeur dans un restaurant. Pour faire taire mes angoisses et repousser mes idées noires, qui me prenaient sans avertir, je prenais de grosses goulées d'air, à pleins poumons. J'inspirais du positif et j'expirais le négatif. Pas du tout efficace à long terme !

En septembre, en cinquième secondaire, je suis retombée dans ma routine : école, étude, dodo. Les fins de semaine, j'ajoutais les quilles à mon horaire. Parfois, je sortais avec mes amis. Sept jours sur sept, peu importe où je me trouvais, je faisais semblant. Semblant de suivre mes cours, semblant d'écouter les profs quand j'avais juste envie de me perdre dans des pensées autodestructrices. Semblant d'étudier facilement quand tout m'était devenu un exercice de concentration atroce. Semblant de travailler dans la joie alors que j'avais juste le goût de lancer des paires de souliers sur les quilleurs pour un rien. Semblant de vouloir suivre mes amis partout dans l'école, alors que je n'aspirais qu'à les fuir et à me cacher parce qu'ils s'embrassaient et se tripotaient tout le temps, me rappelant qu'ils étaient normaux, eux, les hétéros amoureux.

Si on m'avait prédit que la première partie de ma dernière année de secondaire serait aussi insupportable, je ne l'aurais pas cru. Malheureusement, tel a été le cas ! J'ai dû redoubler d'efforts pour réussir à maintenir ma moyenne tellement j'étais perdue dans des pensées de plus en plus noires. Je me détestais !

Chaque midi, à la cafétéria, Ariane, Alexis et moi planchions sur nos devoirs. De la grammaire, des mathématiques... Pourtant, j'aurais préféré être seule. En les voyant se donner des bisous dans le cou, sur la bouche, sur les mains, la boule d'angoisse que je refoulais chaque jour refaisait surface. Je retenais mes larmes en me disant que je ne pourrais jamais vivre cette fusion amoureuse avec une fille devant tout le monde. Je déprimais dans mon coin.

Un midi, en novembre, j'essayais de me concentrer sur mes maths lorsque Alexis, pour ne pas changer, a chuchoté un mot d'amour à Ariane avant de l'embrasser amoureusement. En pleine cafétéria ! Enragée, je me suis exprimée haut et fort :

– Allez-vous arrêter ?!

Stupéfaits, ils m'ont regardée de leurs grands yeux. Aussitôt, j'ai eu honte de ma réaction et j'ai fixé mon cahier d'activités. Ariane, insultée, a instantanément réagi :

– Voyons, Léa ! Ce n'est pas parce que tu veux rester malheureuse toute ta vie qu'on doit l'être !

– Je ne suis pas malheureuse, répliquai-je, mal à l'aise.

– Bien oui ! Ça fait des mois que tu ne souris plus, tu grognes en nous regardant. On ne te voit plus les fins de semaine. Je t'avertis, si tu ne changes pas, tu peux aller ailleurs !

La mâchoire tremblante, elle s'est retournée vers Alexis. Quant à lui, il m'a lancé, du tac au tac :

– On ne sait plus quoi faire, Léa, pour t'aider. Veux-tu nous dire quelque chose ?

J'ai senti mes palpitations cardiaques remonter dans ma gorge. Non ! Mieux valait mentir...

– Je m'excuse, dis-je, navrée de les voir payer pour toute cette histoire. Je crois que j'ai juste besoin de temps pour me retrouver. Je m'en veux encore pour Sébastien.

– Voyons ! s'exclama Alexis. Il est passé à autre chose depuis un bout. Il s'est fait une autre blonde et il n'arrête pas de m'en parler.

Alexis caressait les cheveux d'Ariane, qui évitait de me regarder. Elle gardait le nez dans son cou. J'étais sans voix. Sébastien était déjà en couple ! Heureux ! Malgré moi, je me suis laissé gagner par la frustration. J'étais tellement centrée sur ma lamentable personne que je m'étais imaginé que Sébastien expérimentait les mêmes sentiments de son côté. Dure réalité !

Je venais de comprendre que j'étais la seule dans cet état pitoyable. Pourtant, moi aussi, je ne rêvais que d'embrasser une personne qui m'aimerait à son tour. Pourquoi fallait-il que l'amour soit réservé seulement aux autres ?! Alexis m'a regardée attentivement, m'a scrutée, espérant sûrement que je me réjouisse de la nouvelle. Mais je suis restée muette.

Le soir venu, j'ai pris la plus importante décision de ma vie : j'ai décidé d'être heureuse, coûte que coûte. Je savais que ce serait difficile, angoissant, apeurant, mais je n'en pouvais plus. Je mourais à petit feu. C'est là que j'ai décidé de consulter.

Le lendemain, je suis sortie de mon cours d'anglais pour aller aux toilettes. J'ai demandé à sortir, mais, en arrivant devant les toilettes, j'ai continué mon chemin. J'avais menti à mon prof. Mon but était de passer devant le bureau de la psychoéducatrice, Kathy, de cogner discrètement à sa porte (à condition qu'il n'y ait personne dans le corridor) et de prendre rendez-vous avec elle. Je marchais rapidement. Mon temps était compté avant que monsieur Roy ne se pose des questions.

La porte était fermée. BÂTARD !!! Très déçue, je suis retournée au deuxième étage pour réintégrer ma classe. « Que faire ?! » Je ne pouvais pas aller la voir en dehors des cours parce que ce serait m'expo-ser aux yeux de tous. En plus, il n'y avait que les rejets de l'école qui se tenaient dans son bureau. Chaque midi, ils se regroupaient autour de Kathy pour manger, entassés comme des sardines. En circulant dans le corridor, on pouvait les apercevoir. Certains élèves en profitaient pour rire ou lancer des méchancetés à leur endroit, du style : « *Losers !* », « Heille, les *nerds* ! » ou « Yo ! Les tapettes ! » J'avais toujours pensé secrètement que ceux qui insultaient ces jeunes étaient immatures et méchants, mais impossible d'interve-nir. Je me retrouverais automatiquement sur la liste noire de ces ados dits « populaires ». Et comme, en plus, je faisais justement partie de ces fameuses tapettes dont ils parlaient, c'était une raison de plus pour me taire.

En retournant m'asseoir à ma place pour compléter mon document sur les verbes irréguliers, je me suis rappelé que Kathy avait fait un rapide tour des classes en début d'année. Elle avait précisé que son courriel professionnel était dans l'agenda de l'école.

À huit heures le soir, j'étais épuisée. Après m'être défoncée au centre de musculation pour chasser mes pensées négatives, qui revenaient à la charge dès que je croyais en être débarrassée, j'ai pris ma douche en vitesse et me suis enfermée dans ma chambre, tannée de m'imaginer en train de mourir asphyxiée sous une barre de métal de plus trois cents livres...

Mon portable sur les cuisses, j'ai rédigé deux courtes phrases à Kathy :

« Besoin urgent de parler !!! ☹
J'aimerais te rencontrer dans le plus grand des secrets, RAPIDEMENT.
Léa. (Groupe 210, cinquième secondaire.) »

Après que j'ai vérifié à six reprises que j'avais bien tapé la bonne adresse, le message a disparu.

« Léa est demandée au secrétariat », dit la secrétaire dans l'interphone. Mon prof de sciences m'a fait un bref signe de tête et a continué à écrire des notes

196

au tableau. Ariane m'a regardée, l'air intrigué. J'ai haussé les épaules en voulant imiter la fille qui ignorait pourquoi on l'appelait et j'ai quitté le local illico presto.

La porte était entrouverte. J'ai pénétré dans le bureau de Kathy et refermé la porte derrière moi.

– Euh... bonjour ! chuchotai-je en me faisant le plus petite possible.

Kathy m'a souri.

– Allô ! Tu peux t'asseoir, m'informa-t-elle en me pointant la chaise en tissu brun en face de son bureau.

Je me suis exécutée en me disant qu'elle était spéciale, Kathy. Pour une psychoéducatrice, je veux dire. Dans ses cheveux, il y avait des mèches de couleur mauves et bleues alors que la teinture était interdite à l'école. Elle portait aussi des vêtements de jeunes ados. Trop bizarre pour une femme d'au moins trente ans... S'habillait-elle de cette manière pour mettre les élèves en confiance ? Je me posais la question quand Kathy a laissé tomber son crayon sur sa pile de papiers et a commencé à m'observer. Je me suis sentie tout à coup mal à l'aise et j'ai eu des sueurs froides.

– Qu'est-ce que je peux faire pour t'aider ? me lança-t-elle. Ton message était sérieux.

– Ouin...

Aucun autre mot n'est sorti de ma bouche. Pourtant...

– Est-ce que ça va dans tes cours ?

– Bof, ai-je fait en fixant mes *runnings*.

– Tes notes ont-elles baissé ?

J'ai approuvé de la tête.

– As-tu une petite idée pourquoi ?

– Je... je...

– Ne t'inquiète pas, Léa, me coupa-t-elle. Tout ce que tu vas me dire restera ici. Tu peux me faire confiance.

« Répète-t-elle cette phrase à chacune de ses rencontres ? Doit-elle vraiment garder TOUTES les infos pour elle ? Ça m'étonnerait. Surtout si le jeune en face d'elle se voit en train de mourir », pensai-je.

J'ai pris une bonne inspiration pour me donner du courage et j'ai soufflé :

– J'ai des idées noires.

Elle s'est penchée sur son bureau, l'air grave, avant de me demander :

– Veux-tu mourir ?

– Non, mentis-je aussitôt. Je suis juste tout le temps déprimée et je ne sais plus quoi faire pour que ça arrête.

Kathy a pris une feuille et a écrit dessus avant d'ajouter :

– Depuis quand as-tu ce genre d'idées ?

– Mai dernier, lâchai-je précisément, en soupirant.

– Qu'est-ce qui s'est passé ?

Elle a recommencé à écrire et ses mèches couvraient une partie de son visage.

– Humm...

Mon chandail était trempé. Ma peau brûlait. Pouvais-je réellement lui donner ma confiance ? Allait-elle me trahir en téléphonant à mes parents ? En discutant de ma situation avec d'autres profs ? Qu'est-ce que je faisais là ?

– Je ne peux pas te forcer à me parler, mais, après avoir lu ton courriel, j'ai senti que tu avais vraiment besoin de te vider le cœur, me précisa-t-elle avec sa voix chaleureuse. Tu peux me faire confiance.

J'avais l'impression d'être un animal blessé, sans défense, apeuré. Si je me confiais, allais-je le regretter ? Kathy m'a couverte de son regard attentionné. Elle semblait gentille... Qu'est-ce que j'avais à perdre de toute façon ? Les visages de mes amis sont apparus. Depuis qu'Ariane m'avait obligée à changer d'attitude, je faisais tout pour qu'elle oublie son ultimatum. Je l'aidais dans ses devoirs, je regardais ailleurs quand elle embrassait Alexis et je me forçais à rire de ses mauvaises blagues. Elle n'y voyait que du feu, croyant avoir réussi à me faire entendre raison. Mais Alexis, lui, n'était pas dupe. Dans ses yeux inquisiteurs, je voyais qu'il me soupçonnait de faire semblant, d'être malhonnête.

Je me suis gratté le cou tout en me tortillant sur ma chaise, puis j'ai enlevé ma veste et ai lancé à Kathy, en déposant mon vêtement sur mes cuisses :

– Je suis lesbienne.

Je me concentrais sur chaque couture de ma veste pour éviter de croiser le regard de la psy.

– Es-tu sûre ? Parce que c'est normal de faire des expériences.

Des expériences ?! Si seulement mon « expérience » avec Émilie s'était arrêtée là ! Je pourrais me dire : « Ah... c'était le *fun* de la *frencher,* mais, finalement, je suis aux gars. » J'ai ajouté, démoralisée :

– Je pense que je l'ai toujours été.

L'air froid du climatiseur a refroidi mon épiderme. J'ai remis ma veste.

– As-tu déjà été amoureuse d'une fille ?

La voix de Kathy était chaleureuse. J'ai poussé un soupir de soulagement ; elle ne détestait pas les homos.

– Oui ! De Julie.

– Une fille de l'école ?

Je l'ai regardée de nouveau. Elle prenait un tas de notes.

– Non, précisai-je rapidement. Je l'ai connue au centre de musculation quand j'avais douze ans.

– Est-ce qu'il y a eu des rapprochements ?

– Non plus ! m'exclamai-je en souriant pour la première fois depuis le début de la rencontre. Elle était mon entraîneur !

– Ah ! En as-tu parlé à quelqu'un ?

– Vraiment pas. J'avais trop peur de ce que je ressentais. Après, j'ai essayé de me convaincre que les gars m'intéressaient moins parce que mes études m'occupaient trop.

– Es-tu sortie avec un gars à un moment donné ?

– Oui, mais je l'ai laissé en mai après avoir embrassé une fille avec qui je faisais un travail d'équipe.

– Est-ce que ton ex sait pourquoi tu l'as quitté ? demanda-t-elle, curieuse.

– Oh non ! Personne ne doit découvrir mon orientation, affirmai-je sérieusement.

– Tu n'es pas la première à cacher son orientation sexuelle, m'apprit-elle.

Mes yeux se sont agrandis, ronds comme des billes. QUOI !

– D'autres jeunes ici ?!

– Oui, mais je dois garder leur nom secret. Comme pour toi, m'expliqua-t-elle en déposant sa feuille dans un dossier en carton brun.

– Il y en a combien ?

– Pour être franche, je ne le sais pas. Mais, si on se base sur les recherches qui ont été faites sur le sujet jusqu'à maintenant, il y aurait au moins dix pour cent de la population qui serait homosexuelle.

– Ah oui !

– Donc, s'il y a cinq cents élèves dans l'école, il devrait y avoir au moins une cinquantaine de personnes qui se posent des questions sur leur orientation sexuelle.

– Ça m'étonne, soufflai-je, plus pour moi-même que pour Kathy.

– Le problème, c'est que personne n'en parle. Si tu penses être anormale, c'est à cause de ce silence-là.

– Il ne doit quand même pas y avoir beaucoup de lesbiennes à l'école, ajoutai-je.

– Pourquoi dis-tu ça ?

– On dirait qu'il y a toujours plus de gais que de lesbiennes, expliquai-je.

– Ouin, c'est vrai qu'à la télévision on voit plus d'hommes homosexuels, mais je peux te jurer que tu n'es pas la seule lesbienne ou la seule fille à te questionner. Vous êtes déjà cinq à me consulter pour cette raison.

J'ai poussé un soupir de soulagement. D'autres comme moi, ici, pas croyable ! Mais comment identifier ces filles ?! À part Émilie, je n'en connaissais aucune.

– Ça fait du bien à entendre, lui précisai-je.

– Je suis certaine que tu te sens déjà mieux.

– C'est vrai, mais je me déteste pareil, puis je me demande pourquoi je suis lesbienne, ce que j'ai fait de mal, lui appris-je, de nouveau déprimée.

– Attends, me lança-t-elle en déplaçant sa chaise près de sa bibliothèque. Je vais te prêter un livre. Il m'en reste un.

Kathy a pris un ouvrage jaune*. En me le tendant, elle m'a dit :

---

* DORAIS, Michel, et Éric VERDIER. *Petit manuel de gayrilla à l'usage des jeunes*, Le Triadou, H&O Éditions, 2010.

– Là-dedans, tu devrais trouver toutes les réponses à tes questions et ça va t'aider à t'accepter. Léa, tu es nor-ma-le, insista-t-elle. Et c'est légitime que tu déprimes. Au moins, tu ne penses pas à te suicider.

J'ai baissé les yeux en entendant ces derniers mots, honteuse de lui cacher la vérité.

– On va quand même devoir se rencontrer régulièrement. Au moins une fois par neuf jours. Jusqu'à ce que tu ailles mieux.

J'ai approuvé de la tête.

– Est-ce que tu pourrais me faire venir à ton bureau en passant toujours par le secrétariat ? la priai-je, craignant que quelqu'un découvre pourquoi je manquais des cours.

– Ne t'inquiète pas, je vais m'assurer de ne pas t'appeler dans les mêmes matières. En passant, si jamais tu es trop *down*, appelle là.

Après avoir ouvert son agenda de l'école, Kathy m'a montré le numéro de téléphone de Tel-Jeunes.

– Tu peux appeler vingt-quatre heures sur vingt-quatre. Si tu as besoin de me voir en urgence, ne te gêne pas non plus.

– OK, fis-je, rassurée de me sentir aussi bien appuyée.

– Dernière chose. Si après quelques semaines on remarque que tu ne vas pas mieux, il va falloir que tu en parles à ton médecin de famille.

– Pourquoi ?!

– Parce que tu fais peut-être une dépression. Des fois, ça se règle grâce à des rencontres avec un psy, comme moi, mais, parfois, quand c'est trop grave, il faut prendre des médicaments qui vont agir sur tes neurones.

– Oui, mais comment je vais faire pour savoir si j'en fais une ou pas ?

– Je vais te donner un dépliant, fit-elle en fouillant dans le tiroir de son bureau. Regarde.

Le dépliant était ouvert devant moi. Écrits en grosses lettres noires, plusieurs mots m'ont sauté au visage : « Fatigue, tristesse, sommeil perturbé, dévalorisation, sentiment de solitude, diminution de la concentration, idées noires, hypersensibilité, perte d'appétit et idées suicidaires. »

« C'EST MOI !!! MERDE ! C'EST MOI !!! » criai-je dans ma tête, atterrée.

J'ai froncé les sourcils, complètement immobile sur ma chaise. On aurait dit que le plafond venait de me tomber dessus. Pas possible... Sans même que je m'en rende compte, des larmes ont commencé à glisser sur mes joues.

– Je pense que tu devrais prendre un rendez-vous avec ton médecin, conclut Kathy en me voyant pleurer à chaudes larmes.

Contre toute attente, elle s'est levée, s'est penchée vers moi et m'a entourée de ses bras.

– Je suis là, me chuchota-t-elle à l'oreille. Tu vas t'en sortir. Pleure, ça fait du bien de sortir le méchant. Pleure...

Et j'ai pleuré... longtemps...

C'est ainsi que j'ai suivi les conseils de Kathy et, quelques mois plus tard, j'en avais fini avec les anti-dépresseurs. Pour la vie ! En tout cas, je l'espérais...

Quel CHOC quand mon médecin m'a confirmé, au mois de novembre, que je faisais une dépression ! Quelle HONTE de m'apercevoir que je ne contrôlais plus rien dans ma vie ni dans mon corps ! Que je devais ingurgiter quotidiennement, en cachette, de grosses pilules blanches. Pendant sept mois ! En plus, elles me donnaient mal à la tête et à l'estomac. Mais quelle différence !

Une semaine seulement après avoir commencé à en avaler, j'ai vu de méchants changements dans mes humeurs. Je n'avais plus envie de mourir, ma tête semblait plus légère, vide de pensées négatives, et je recommençais à sourire. Un mois plus tard, je retrou-vais toute mon énergie. Je passais la plupart de mon temps libre au gym pour me défouler. Même Ariane a remarqué mon changement d'attitude et m'a dit qu'elle était super heureuse de retrouver la Léa qu'elle connaissait.

Malgré tout, des fois, j'avais des rechutes, notamment lorsque je paniquais en m'imaginant, dans l'avenir, faire mon *coming out*. Kathy me rassurait dans ces moments-là. Heureusement, mon médecin m'avait bien avertie de ne jamais cesser ma médication, et c'est ce que j'ai fait. Je diminuerais seulement quand il le déciderait.

À part les médicaments, ce qui m'a aidée le plus, c'est Kathy. Lors de nos rencontres, elle me racontait comment son ami homosexuel, à Montréal, s'en sortait. À travers elle, je me le représentais avec son copain, je le voyais travailler librement et visiter régulièrement ses parents en région. Selon elle, sa sortie du placard s'était déroulée à merveille, sa famille l'acceptait comme il était. Il avait aussi le droit d'inviter son amoureux aux rencontres familiales. Sa vie me paraissait tout de même irréelle. Il me restait tant d'étapes à franchir avant de me sentir libre comme lui...

Heureusement, en lisant le petit livre que Kathy m'avait prêté, et que je cachais sous mon matelas pour le dévorer le soir, j'ai découvert que j'étais normale, pas malade. Que je devais prendre le temps de m'accepter et de me concentrer sur le présent en restant positive.

En avril, mon médecin m'a annoncé que je pouvais diminuer progressivement mes doses. D'après lui, et Kathy, j'étais guérie de ma dépression, puisque je n'avais plus d'idées noires et que j'avais envie d'être heureuse, de m'accepter comme lesbienne et de commencer à fréquenter d'autres filles.

Au début, mes maux de tête ont redoublé, puis ils ont tranquillement disparu. Comme j'allais beaucoup mieux, je ne voyais Kathy qu'une fois par mois. Et je m'entraînais comme une folle. Ça me faisait du bien...

Un soir, j'étais dans ma chambre et je me demandais comment trouver des lesbiennes comme moi. Mon secondaire allait bientôt se terminer et je craignais de moins en moins que quelqu'un découvre mon secret. Parce que je faisais EXTRÊMEMENT attention aux moindres détails entourant mes rencontres avec Kathy et mon médecin. En plus, comme ma mémoire était de nouveau fonctionnelle, je ne me trompais jamais dans mes mensonges. Je pensais donc qu'il était temps que je commence à faire des rencontres, par curiosité surtout. Mais comment procéder ? C'est là qu'Internet m'est apparu comme la solution idéale, car rapide et discrète. Puis, je suis tombée sur la photo de Frédérique...

CHAPITRE 8

Soirée surprenante

23 juin

Ma robe sculpte parfaitement mon corps. Des mèches caramel dansent de chaque côté de mon visage, mettent en évidence mes pommettes saillantes. Une frange chatouille mes cils. J'ai longuement hésité avant d'accepter la proposition de ma coiffeuse, mais le résultat en vaut la peine. Et mes prunelles brillent grâce au maquillage appliqué par mon esthéticienne. Je suis *hot* !

Cependant, le miroir me renvoie l'image d'une jeune femme tourmentée. Depuis que j'ai quitté Frédérique en catastrophe, samedi dernier, elle est restée muette. AUCUNE nouvelle d'elle en sept jours, et ce, malgré la dizaine de messages que je lui ai envoyés. Rien ! Pas de réponse ni de signe de vie. Je capote !

Toute la semaine, mon téléphone est resté collé à moi. Plus le temps passait, plus je désespérais qu'elle m'écrive, qu'elle finisse par accepter mes excuses pour mon départ précipité. M'en veut-elle à ce point ? Peut-être qu'elle a changé d'idée et qu'elle désire rompre ?

Je me demande si Monika ne l'a pas convaincue de m'abandonner. J'espère que non. Frédérique m'intéresse vraiment. J'ai envie de la découvrir, mais je déteste attendre après une fille. J'ai beau l'apprécier et la trouver belle, il me semble que c'est impoli d'ignorer quelqu'un comme elle le fait. Surtout qu'on commence juste à se fréquenter. Tout un début... A-t-elle changé d'avis parce que je ne suis qu'une gamine de dix-sept ans ?

Une profonde tristesse m'envahit. Je me mets à pleurer, mais le regrette aussitôt. En coulant, mon mascara dessine deux traces sombres sous mes yeux. Je prends un mouchoir entre mes doigts et essuie le dégât du mieux que je peux, découragée. Pour me remonter le moral, je pense à mes parents, fébriles, qui m'attendent dans la salle à manger. Ils sont fiers de leur petite fille. ET armés d'un appareil photo ! Je dois donc être parfaite pour éviter de les décevoir. Oublie Frédérique pour aujourd'hui, Léa.

Je sèche mes larmes et me plante un sourire sur le visage. Ariane et Alexis vont arriver d'une minute à l'autre. En Hummer ! Nos parents ont mis de l'argent de côté pour nous permettre de finir notre cinquième année de secondaire en beauté. Nous avons tous sauté de joie en apprenant la bonne nouvelle, trois jours plus tôt, ce qui m'a aidée à oublier les silences de Frédérique.

Je repense à Ariane et à sa déception lorsqu'elle a su que mon « copain » m'ignore depuis une semaine. Après que je lui ai décrit le baiser torride dans le cabinet de toilette, elle en a conclu que mon amoureux doit être fou de moi et qu'il me contactera sous peu. Elle souhaite BEAUCOUP le rencontrer. J'ai choisi d'éviter de lui raconter mes mésaventures avec Monika ainsi que le reste de la soirée avec Frédérique. J'ai même dit à Ariane que j'avais passé la nuit chez moi. Malgré cela, elle s'est mise en tête que j'allais bientôt lui présenter mon « copain ». Aucune chance !

Je glisse mes mains sur le haut de ma robe pour bien la lisser et sentir le tissu, doux et brillant comme de la soie. Je me demande comment est celle d'Ariane. C'est un mystère depuis longtemps. Est-elle aussi décolletée que la mienne ? J'imagine le visage de mon père lorsqu'il verra l'échancrure sur ma poitrine dans un instant. Je rougis. Au même moment, le vent soulève mes rideaux, balaye mes cheveux qui me chatouillent.

Je commence tout juste à chausser mes souliers blancs quand la sonnette de la porte retentit. Mes amis ! J'affiche un sourire sincère sur mon visage, déterminée à passer un bon moment malgré ma peine, et je prends mon petit sac avant de quitter ma chambre.

– Léa, c'est pour toi ! crie ma mère, visiblement excitée.

– J'arrive, maman !

Dans le couloir, j'entends mes talons marteler le plancher. Mes paumes sont moites. Mon père est là, en face de moi. Ses mains reposent sur son ventre rebondi. Il m'observe, la bouche ouverte. Je cesse de marcher, hésitante. Suis-je belle ? Est-ce trop provocant ? Je suis dévorée d'inquiétude quand je l'entends bredouiller, la voix remplie d'amour :

– Tu es splendide, ma puce. Je ne sais pas quoi dire de plus...

Il a la voix chevrotante. Puis, il sanglote en déposant ses mains sur ses yeux.

– Oh... papa... ne pleure pas.

Des larmes coulent des miens. Cette fois-ci, je me fiche de mon maquillage et m'avance pour me cacher dans les bras de mon père.

– Je... t'aime..., papa.

Quelques secondes passent et j'entends un troisième reniflement, celui de ma mère, qui s'est jointe à nous. De quoi avons-nous l'air, bras dessus, bras dessous, sanglotant en chœur ? Je l'ignore, mais je sais que je les aime plus que tout.

Quand nous nous séparons, je m'excuse et retourne dans ma chambre pour enlever le coulis sous mes yeux. Ma peau brûle au contact du démaquillant. Tout à coup, ma mère s'approche, le regard tendre et les bras chargés.

– Ton père n'est pas le seul à être fier de toi, ma puce, tu as reçu des fleurs. Comme ton père pleurait quand je t'ai vue au bout du couloir et que tu faisais pareil, j'ai attendu avant de te les donner, me précise-t-elle en me tendant un énorme bouquet de fleurs.

Abasourdie, les paupières enflées, je le prends dans mes bras.

– Je vais sortir mon plus grand vase et mettre de l'eau dedans, s'exclame-t-elle, enjouée. Je ne savais pas que tu avais un prétendant, Léa ? Petite coquine ! Il s'appelle comment ?

– Maman... je...

– Je reviens tout de suite, réplique-t-elle en quittant la pièce, sûrement à la recherche de son fameux vase. Philippe, c'est quand la dernière fois que tu m'as envoyé des fleurs ?

– Hum... à ton anniversaire, chérie, répond mon père.

– Je l'ai trouvé, Léa ! s'écrie ma mère. Viens ici.

Je secoue la tête, abasourdie, et sors de ma chambre avec mes fleurs, oubliant mon sac sur le lit. En me voyant les bras tendus, mon père m'aide à déposer délicatement ma surprise sur le comptoir de la cuisine. Ses yeux sont encore humides et je sens sa fragilité ainsi que son étonnement. Il scrute mon bouquet en m'observant. Je ne sais où me placer.

– Bon, dit ma mère, je commence par couper les tiges avant de mettre les fleurs dans le vase. Philippe, peux-tu les tenir ?

– Oui, chérie !

– Léa, j'ai déposé la carte sur la table à côté de la porte d'entrée, ajoute-t-elle. Tu peux la lire à haute voix si tu veux ! blague-t-elle.

– Non, ça va.

Je traverse la maison en entier en deux secondes et m'empare de la carte, la sors de son enveloppe et la lis.

« *Léa, ce soir, profites-en. Imagine-moi à tes côtés et pardonne mes silences. Je vais me reprendre TRÈS bientôt. Promis... xx*

Frédérique »

Je m'écrase sur le divan, la carte sur les genoux. Je n'y comprends rien ! Veut-elle de moi ou pas ? Joue-t-elle avec mes sentiments pour le *fun* ? Pourquoi n'a-t-elle pas répondu à mes messages ?

Le temps que je me relève, je crois la voir de l'autre côté de la rue. Mes paupières battent à la vitesse de l'éclair. Mais ce n'est qu'une illusion.

Le Hummer est démesuré. Ariane et Alexis ont sorti leur tête par le toit ouvrant et hurlent à tue-tête. Le chauffeur désigné leur intime de rentrer dans la voiture. Ariane pouffe de rire. Alexis obtempère, sérieux.

– Léa ! La voiture est arrivée ! s'exclame ma mère en jouant dans mes fleurs.

– Je sais, maman ! Où est mon sac ? J'en ai besoin !

– Attends, je l'ai vu sur ton lit, me rassure ma mère. Je vais le chercher.

– Vite !!! que je m'énerve.

– Je me dépêche ! répond-elle en se précipitant dans ma chambre.

Pendant ce temps, je me dirige vers la porte, excitée, oubliant la carte de Frédérique sur le fauteuil.

– Léa, si tu as besoin de quoi que ce soit, tu appelles, à n'importe quelle heure, m'informe mon père, inquiet.

– Oui, papa. Pas d'alcool et je reviendrai à la maison cette nuit.

– Tu appelles, peu importe l'heure, me répète-t-il.

– Promis.

Je l'embrasse sur la joue. Mes yeux picotent, mais je me retiens de pleurer. Il s'inquiète pour moi, s'imagine que je vais me saouler. C'est la tradition. Pas dans mes plans ! Je trouve ça stupide et immature de se vomir dessus le jour de son bal. De toute manière, mon médecin m'a bien avertie. L'alcool est un dépresseur. Pas besoin de me sentir *down* quand je viens juste de me sortir d'une dépression...

Ma mère court et me donne mon sac, puis elle plaque ses lèvres sur ma joue. Je fais une grimace, mais je souris à pleines dents.

– Léa, tu appelles si tu as besoin qu'on vienne te chercher, n'importe où, d'accord ?

– Oui, maman. Il faut que je parte.

– ATTENDS ! hurle ma mère.

– Quoi encore !

– Il faut que je prenne des photos !

La salle est immense. Il y a une vingtaine de tables ovales recouvertes de nappes blanches. Au centre, des chandeliers en argent éclairent les visages des ados surexcités. Les tables ont été disposées autour de la piste de danse. En arrière, il y a une scène sur laquelle trône la console du DJ. Des ballons gonflés à l'hélium créent un rideau multicolore tout autour.

Je dépose ma serviette blanche sur mes cuisses et regarde Ariane et Alexis. Ils se bécotent encore. Trop *cute* ! J'aurais aimé ça, moi aussi, pouvoir embrasser ma blonde à mon bal. Il me semble qu'il me manque quelque chose, juste parce que je suis lesbienne...

Quatre-vingt-dix minutes plus tôt, en quittant la maison, je me suis précipitée vers l'impressionnant bolide blanc. Ariane est sortie de la voiture. Je ne voyais qu'elle. Sa robe de bal était d'un rouge criard. Estomaquée par la couleur, je me suis dit qu'Alexis avait dû avaler sa salive de travers lorsqu'elle était apparue devant lui. Elle était tout simplement à croquer. Et le collier... Qu'ajouter de plus, il étincelait dès que le soleil braquait ses rayons dessus. Ariane était vraiment douée, puisqu'elle l'avait confectionné elle-même.

J'ai touché le mien du bout des doigts en songeant à sa sobriété. Rien de comparable avec celui d'Ariane.

Dans les bras l'une de l'autre, nous nous sommes complimentées mutuellement en sautant sur nos talons. Deux petites gamines énervées !

Du haut des marches, ma mère m'a rappelé qu'elle voulait prendre une série de photos avant qu'on parte pour la ville, vers l'hôtel où se déroulerait la réception. Celle-ci était exclusivement réservée aux finissants, puisque les parents avaient déjà assisté à la remise des diplômes dans l'avant-midi.

J'ai commencé à avoir mal aux orteils à force de sauter et remarqué que des voisins nous observaient en souriant. Je me suis donc calmée un peu, me suis mise à rire, heureuse d'être là, avec mes amis et ma famille. En me retournant vers la voiture, j'ai vu Alexis, adossé à une des portes. J'en ai eu le souffle coupé.

Il était méconnaissable dans son smoking noir. Il portait des souliers blancs assortis à une cravate de la même couleur et il avait changé ses lunettes. Les branches transparentes et la forme de ses verres était carrée, faisant ressortir sa mâchoire découpée. Du gel sculptait ses cheveux foncés. WOW !

Alexis s'est approché de nous deux et j'ai aussitôt senti une douleur au ventre. Allait-il m'ignorer ? Notre relation était tellement tendue... Mon ami me manquait, ses conseils me manquaient, son sourire me manquait. Ariane m'a tenue par la taille et m'a chuchoté :

– Trouves-tu qu'il est séduisant ? Je suis presque tombée par terre en le voyant...

La voix de ma meilleure amie était mielleuse et présageait une fin de soirée des plus chaudes. Quand il s'est posté devant moi, je me suis sentie anxieuse. Puis, j'ai entendu sa voix, douce et rassurante.

– Wow, Léa, tu es vraiment belle...

J'étais si émue que je n'ai pas eu le réflexe de le remercier. Je suis tombée dans ses bras, mes paupières battant comme les ailes d'un papillon. Je désirais l'écraser contre moi tellement j'étais heureuse. Que disparaissent à tout jamais nos malentendus ! Il m'a serrée de même tout en me caressant le dos. Je me fichais de nos différends, du temps, de tout. J'aurais voulu que ce moment dure toujours.

– Allez, les enfants, nous a rappelé ma mère, placez-vous devant le Hummer que je prenne des photos.

À notre table est assis un autre couple que nous ne connaissons que de vue. La fille, qui se nomme Jessica, porte une robe verte bouffante avec des paillettes. Pas trop joli, son choix vestimentaire. Son copain, Alexandre, a revêtu une chemise de la même couleur. Drôle de duo. Le pire, selon moi, ce sont les autres adolescentes qui paradent. On dirait que je suis encerclée d'un arc-en-ciel vivant.

Quand vient le temps des photographies officielles, le photographe, entre deux services, appelle les jeunes par leur numéro de table. Je commence à stresser. Ariane et Alexis voudront-ils se joindre à moi ? Sinon, tant pis ! Je serai seule.

Quand vient notre tour, il faut sortir de la salle à manger et se planter devant le photographe. Celui-ci invite le couple qui partage notre repas à prendre place devant son appareil. Alexandre met son bras autour de la taille de Jessica et les deux forcent un sourire, intimidés. Quand ils s'en vont, le photographe nous regarde avec un air interrogatif.

– Qui est avec qui ?

Ariane rit de bon cœur.

– On est toutes les deux avec lui !

– Vraiment ? Profites-en, mon homme, ricane-t-il. Venez vous placer derrière la ligne noire et tournez-vous un peu vers la gauche.

Je relâche mon souffle, heureuse. Nous sommes pris d'un fou rire lorsque l'homme nous oblige, Ariane et moi, à nous presser contre Alexis. J'ai vraiment hâte de voir le résultat final. Puis, nous retournons dans la salle, bras dessus, bras dessous, pour terminer notre repas.

Au début, lorsque la musique commence et que tout le monde danse, je garde mes souliers. Mais plus le temps passe, plus ils martyrisent mes orteils. À un moment, je remarque que des filles lancent les leurs près des tables. Ariane et moi les imitons, soulagées. C'est bizarre de sautiller, pieds nus, sur la piste en essayant d'éviter que les garçons nous écrasent les orteils. Je n'ai jamais autant ri !

La soirée passe rapidement, trop rapidement... Mais la fête ne va pas se finir pour autant, nous savons qu'après, nous devons retourner à notre école pour continuer avec une petite surprise...

Au moment de quitter l'hôtel, le chauffeur nous attend pour nous déposer à l'après-bal qui se déroule, en cachette, sur le terrain de sport, derrière notre école.

Avant de partir, je vais aux toilettes avec Ariane. Après m'être enfermée dans un cabinet, je sors mon téléphone de mon sac pour vérifier mes messages. Étonnée, je m'aperçois que Frédérique m'a envoyé un texto quelques minutes plus tôt :

> « Léa, as-tu reçu tes fleurs ? Les aimes-tu ?
> Écris-moi !
> Frédérique xx »

Je salive de bonheur et m'imagine l'embrasser, la toucher, la respirer... Je lui envoie aussitôt un message :

> « Merci pour les fleurs. Elles sont belles. Mais j'aurais aimé que tu m'appelles cette semaine...
> Je vais à mon après-bal en HUMMER !!!
> Je t'appelle demain. xx »

— Léa ! Es-tu prête ? m'interroge Ariane, de l'autre côté de la porte.

— Attends une minute, j'ai reçu un message de Fred, que je chantonne.

— Quoi ? s'exclame-t-elle. Qu'est-ce qu'il dit ?

Ariane tape sur la porte, surexcitée.

– E... Il m'a dit qu'il s'ennuie. En passant, il m'a envoyé des fleurs tantôt.

– Pourquoi est-ce que tu n'as rien dit ! Sors de là !

– Attends, je viens de recevoir un deuxième message !

– Allez...

Tout en parlant à Ariane à travers la porte, je lis le second texte sur mon écran :

« Ne m'appelle pas, je viendrai te chercher après le travail. Où seras-tu ? »

Je m'étouffe. Dois-je lui indiquer où je vais aller ? De son côté, Ariane s'impatiente.

– Léa ! Qu'est-ce que tu fais ? Qu'est-ce qu'il a écrit ? Sors de là !

– Il veut venir me chercher à l'après-bal, mais je ne sais pas quoi faire.

– Sors ! m'intime-t-elle en essayant d'ouvrir la porte.

Je sors et constate alors qu'Ariane est de la même couleur que sa robe. Elle bout d'impatience. Je presse mon téléphone contre ma poitrine. Pas question qu'elle découvre qu'une fille m'a écrit.

– Qu'est-ce que je fais ?

– Tu acceptes, voyons.

– Mais...

– Pas de mais, affirme Ariane, convaincue, donne-lui les coordonnées de l'école et tu appelleras tes parents pour leur dire que tu dors chez moi.

– Encore !...

– Arrange-toi pour être de retour dans l'avant-midi. Les miens sont partis tout le week-end, c'est leur cadeau. Ils ont voulu me laisser seule avec Alexis, rougit-elle à cette idée.

– Oh...

– Qu'est-ce que tu attends, écris-lui !

Ariane bat des mains comme un oiseau en m'encourageant.

Troublée, j'indique le chemin à Frédérique. Elle me répond qu'elle finira tôt et me rejoindra à l'entrée de l'école. Tout à coup, je panique. « Stupide ! Stupide ! » que je pense. Si elle vient me chercher à cet endroit, Ariane et Alexis la remarqueront et comprendront que je suis lesbienne !

Je veux aussitôt annuler mon invitation quand Ariane me force à cacher mon téléphone dans mon sac pour m'entraîner avec elle à l'extérieur. Le chauffeur s'impatiente. Alexis tente de lui faire la conversation. Avant de monter dans la voiture, Ariane indique le chemin de l'école à l'homme en blanc.

Plusieurs élèves du comité du bal ont fomenté l'idée de passer la nuit dans des tentes juste derrière notre école. En secret, ils ont contacté tous les finissants et les finissantes afin de leur expliquer comment s'organiser et ce qu'il fallait préparer.

Le jour de la remise des diplômes, nous avons donc dû prévoir un sac avec des vêtements de rechange et une tente. Nous devions déposer notre équipement dans la forêt, derrière l'établissement. La nourriture et la boisson devaient être acheminées sur place, après la soirée, par nos propres moyens. Les tentes seraient disposées sur la pelouse, faiblement éclairée par des lumières extérieures, à côté du gymnase. Le but : transgresser le plus longtemps possible les règlements.

Ce n'était vraiment pas mon genre, mais, comme je n'avais pas d'alcool avec moi, je me disais que, si quelqu'un se présentait sur les lieux, je n'aurais pas de problème. En fait, Ariane, Alexis et moi avions seulement nos vêtements de rechange, ne désirant passer qu'une partie de la nuit à cet endroit. Après, nous étions censés appeler un taxi pour retourner chez nous. Si ce n'est que mes plans venaient juste de changer !

Assise dans le bolide tout en cuir noir, je sors discrètement mon téléphone. Ariane et Alexis se sont affalés sur le siège dans le fond de la voiture et s'embrassent.

En regardant l'écran de mon cell, je constate que Frédérique m'a envoyé un autre message. Pourvu qu'elle me dise qu'elle sera en retard ou qu'elle ne peut plus quitter le bar !

> « J'arrive dans une quarantaine de minutes. Fred. »

Bâtard ! Il faut ABSOLUMENT qu'elle rebrousse chemin ! Je lui envoie un texto :

> « Mauvaise idée ! Tout le monde comprendra que je suis lesbienne ! »

Je prie de toutes mes forces pour qu'elle le reçoive à temps. Anxieuse, je tords ma robe quand mon téléphone vibre. Je regarde mes amis. Ils se bécotent. Si Ariane voit que j'écris à Frédérique, elle voudra assurément en connaître la raison.

> « Pas de problème, dis-moi où je peux te trouver pour que ce soit plus sécuritaire. »

Zut ! Zut ! Pas moyen de lui faire changer d'idée !

> « Frédérique, nous devrions reporter notre rendez-vous... je t'appellerai demain. Désolée. »

J'espère qu'elle comprendra. Mais je reçois un autre message.

> « NON !!! J'ai une surprise pour me faire pardonner. Je viens te chercher. Dis-moi où. »

Elle ne veut rien entendre. Je lui réponds, désemparée par la situation, et curieuse.

« Attends-moi aux feux clignotants, près de l'école. C'est l'endroit le plus sûr. »

« Cool ! Je t'envoie un message en arrivant ! Chow. xx »

J'éteins mon téléphone, le range, puis je regarde à l'extérieur. Il fait aussi noir que dans une caverne. Je ne distingue rien, surtout à travers les vitres teintées. Des frissons me parcourent.

En arrivant à l'école, à vingt-trois heures quarante, nous descendons de la voiture sous le regard ébahi des autres finissants. Timides, nous nous enfuyons vers la forêt. Il y a déjà une cinquantaine de personnes sur le terrain. Munis de lampes de poche, les garçons s'affairent à monter les tentes. Les filles, elles, ne touchent à rien, de peur de salir leur robe.

Quand Alexis sort du bois avec nos deux sacs, nous allons nous cacher de l'autre côté de l'école pour changer d'habits. Pendant qu'il fait le guet, Ariane et moi enlevons nos robes derrière les escaliers réservés aux enseignants. Muettes, nous nous dépêchons pour éviter que les moustiques nous dévorent. Alexis fait pareil une fois que nous avons terminé. Quelle sensation de bien-être que d'enfiler une paire de jeans, un chandail et une veste ! De chausser des *runnings* ! Tout en songeant à mon confort retrouvé, je plie précautionneusement ma robe et la range dans mon sac à dos. Ma coiffure, trop chic, contraste avec mes vêtements sport. Quand tout le monde est prêt, nous retournons vers les tentes.

Nous ne savons que faire ! Tous les adolescents se tiennent en petits groupes épars autour de certaines tentes dites « populaires ». En déambulant dans le champ, on remarque le couple avec lequel on avait mangé. Les deux amoureux sont assis sur des chaises pliantes, côte à côte, et regardent les autres de loin.

Moi aussi, je veux rester à l'écart des fêtards. Nous entraînons Alexis, que nous tenons chacune par le bras, vers nos nouveaux amis. Ariane parle la première :

– Salut ! Est-ce que ça vous dérange si on s'assoit près de vous ?

– J'imagine que non, bredouille Jessica.

– Super ! s'exclame Ariane.

Comme nous n'avons pas de chaises, nous nous assoyons directement sur l'herbe humide. À la dernière minute, Ariane décide de s'écraser sur les cuisses d'Alexis. Il la serre dans ses bras pour la garder au chaud. Je perçois le rire d'un groupe de jeunes derrière moi. Des bouteilles s'entrechoquent.

Puis, j'entends Jessica nous demander :

– Avez-vous votre tente ?

– Non, répond Ariane, on ne restera pas longtemps. On a d'autres plans.

D'autres plans... Quelle heure est-il au juste ? Minuit et quart. D'une minute à l'autre, je devrai quitter mes amis et errer dans la noirceur pour retrouver Frédérique. Y a-t-il des mouffettes cachées dans les bois ? Je frissonne en secouant mes boucles, de plus en plus stressée.

Que fais-je ici ? J'aurais dû demander au conducteur de me déposer chez mes parents, loin du danger. J'enroule mes bras autour de mes genoux en regardant les fêtards, de plus en plus enivrés, et j'ai froid.

Soudain, mon téléphone vibre. Comme Ariane et Alexis savent que mon « copain » doit venir me chercher, je sors mon cell et lis le message.

« Je t'attends aux lumières. 😍 Fred. »

Mon estomac se retourne. Déjà ! J'écris :

« J'arrive dans cinq minutes. »

Alors que je range mon téléphone dans mon sac, Ariane m'interroge :

– C'est Fred ?

– Oui, il faut que je parte.

Mes joues brûlent. Je respire un bon coup.

– Tu peux arriver quand tu le veux demain, me rappelle-t-elle gentiment.

– Merci, Ariane.

– Veux-tu que je t'accompagne ? ajoute Alexis de sa voix profonde.

Il sait que je suis effrayée à l'idée de traverser les bois seule. Il a sûrement remarqué mon regard apeuré en scrutant le chemin.

– Non, ça va ! Je dois me rendre en face de l'école. Fred m'attend.

– Est-ce que je peux venir ? S.T.P., m'implore Ariane, les deux mains assemblées en une prière.

– Non, Ariane. J'aime mieux attendre que ce soit plus sérieux avant de vous le présenter.

– Bon, mais bientôt, fait-elle, désappointée. Promis ?

– Promis.

Serai-je capable de respecter ma promesse ?

Je me lève et salue Alexandre et Jessica. À ce moment, Ariane se redresse et quitte la chaleur d'Alexis pour me prendre dans ses bras. On reste là, à se tenir, au beau milieu de la nuit, et à se frotter le dos pour se rassurer. Finalement, j'embrasse mon amie sur la joue en lui promettant d'arriver le plus tôt possible le lendemain matin et je me sépare d'elle. Alexis est toujours assis par terre et m'observe. Je lui fais un petit sourire en me disant que sa façon de me regarder est étrange. Il essaie encore de me sonder. Ariane retourne s'asseoir sur les cuisses de son amoureux. J'en profite pour déguerpir.

CHAPITRE 9
Découverte

Je trotte depuis cinq minutes, trébuchant dans des trous invisibles, quand j'aperçois enfin la route. En fait, je ne trotte plus, je cours parce que je déteste la nuit, les ombres, les bruits étranges. Je veux me retrouver au plus vite dans la voiture de Frédérique. Loin des regards... Près d'elle...

Sur le chemin principal, des lampadaires m'éclairent faiblement. Je plisse les yeux. Deux lumières rouges brillent au loin. Elle est là, qui m'attend. Qu'est-ce qu'on va faire ? C'est quoi, sa surprise ? Où ira-t-on ? J'avale ma salive de travers, car l'angoisse me vrille le dos.

En arrivant à la hauteur de la voiture, je respire profondément, faisant entrer de l'air frais dans mes poumons pour me donner du courage, et j'ouvre la portière. Frédérique est derrière le volant. Je la vois, la tête penchée vers l'avant, le regard pétillant.

— Salut, beauté...

Sa voix est rauque, pleine de désir. Je sens un million de fourmillements en moi lorsque je m'assois à côté d'elle. La chaleur de la voiture m'enveloppe. Je tourne la tête vers elle, excitée, et vois son visage s'approcher.

Elle plaque sa main derrière ma nuque et presse ses lèvres sur les miennes. Je sens son impatience et son désir. Nos souffles se mêlent et je perds le nord. Quand elle cesse de me toucher, mes yeux sont vitreux. Elle me fait un clin d'œil en me caressant la cuisse, très proche de...

– Es-tu prête ? me susurre-t-elle.

– Où est-ce qu'on va ?

– Ah ! Ça, c'est une surprise !

– Euh... je voulais juste te dire que je dois être chez Ariane demain, avant midi.

– OK.

Elle démarre en trombe. Le cœur léger, je regarde défiler les arbres, puis sa main droite prend la mienne. Sans lâcher le volant, elle augmente le son de la musique techno. J'ai le sentiment de ne faire qu'un avec elle, d'être dans un ensemble, un tout, puisqu'on traverse la nuit en duo. Par sa seule présence, Frédérique me donne du courage. Tout me semble permis et rien ne m'atteint. Elle est là et il me plaît de croire qu'elle pense comme moi. J'observe les maisons assombries sur le bord de la route, la main bien au chaud... Le rythme de la musique envahit mon corps enivré.

Frédérique conduit en silence depuis une dizaine de minutes. Je meurs d'envie de découvrir notre destination. Comme on est sur l'autoroute, j'en déduis qu'elle ne m'emmène pas chez elle. Je la regarde de biais. Elle porte une jupe en jeans et un col roulé blanc, sans manches. Ce soir, ses ongles sont bourgogne, comme sa bouche.

En conduisant, elle tape le volant du bout de ses doigts tout en suivant le rythme de la musique. Ses cheveux noirs tombent inégalement sur ses épaules que j'ai soudainement envie de caresser et d'embrasser.

Fred tourne son visage vers moi et me sourit en me découvrant en flagrant délit de voyeurisme. Je souris timidement. Elle met son clignotant droit et stationne l'automobile sur l'accotement poussiéreux, confessant de sa voix râpeuse :

– C'est trop loin...

Elle arrête le moteur, détache sa ceinture et se penche vers moi pour m'embrasser passionnément. Un courant électrique me traverse entièrement. Nos langues s'emmêlent, nos souffles se perdent dans nos plaintes charnelles. Quand elle cesse, je suis foudroyée de désir. Combien de temps a-t-on passé sur le bord de cette autoroute déserte ? Je ne saurais le dire.

Frédérique redémarre et elle pèse sur l'accélérateur en me saisissant de nouveau la main. Je souris, exaltée. Que me réserve cette nuit ? Des surprises, que des surprises, assurément...

Quelques minutes plus tard, Frédérique se décide à lâcher ma main et met une nouvelle fois son clignotant en action. Veut-elle encore m'embrasser ? Je jubile.

Où est-on au juste ? À ma droite, je vois une multitude de lumières qui éclairent des boutiques toutes plus diverses les unes que les autres. Au milieu se trouve un immense hôtel. UN HÔTEL !!!

La voiture emprunte un embranchement. On est loin de chez moi. Qu'est-ce qu'on va faire là ? Que désire-t-elle ? Que suis-je prête à faire ? À découvrir ? Pourquoi ai-je accepté de la suivre ? Je respire profondément. Rien ne m'oblige à...

– Devines-tu où on va ? me questionne-t-elle tout à coup.

– Je... je...

– Respire, Léa. J'ai juste envie de te gâter et de m'excuser de ne pas avoir répondu à tes messages.

Frédérique reprend ma main et l'embrasse sur le dos. Je suis touchée.

Elle stationne la voiture près de l'hôtel et nous sortons toutes les deux en même temps. Je suis Frédérique en fixant ses fesses rebondies qui se balancent.

En entrant dans l'établissement, j'ai le souffle coupé. C'est grandiose ! Boiseries, parquet étincelant, fauteuils immenses... Frédérique me fait signe de rester en arrière. Je garde une distance raisonnable pour éviter que la réceptionniste ne nous démasque. Que fera-t-elle si elle sait que nous sommes lesbiennes ? A-t-elle le droit de nous expulser ? Appellera-t-elle mes parents ? Oh non, tout plutôt que de leur téléphoner !

Je tords mon sac. La femme me jette un bref coup d'œil.

– Bonsoir ! chantonne ma copine.

– Bonsoir, madame. Est-ce que je peux vous aider ?

– J'ai réservé une chambre sur Internet.

Frédérique sort une feuille blanche de sa poche et la dépose sur le comptoir.

– Pour deux ? demande faiblement l'hôtesse.

– Oui ! C'était notre bal ce soir et nous voulons éviter de prendre des risques en conduisant. Nous avons un peu bu, rit-elle.

– Bien sûr ! s'exclame l'employée. Avez-vous une carte de crédit pour finaliser le paiement ?

Frédérique la remet et signe le relevé. La jeune femme lui donne la clé magnétique de NOTRE chambre.

– Vos parents viendront-ils vous chercher demain ? nous demande-t-elle.

– Non, répond Frédérique, mais merci !

– ... de rien.

Frédérique se retourne, me fait signe et se dirige vers les ascenseurs. Je jette un œil à l'hôtesse qui me regarde étrangement. Mieux vaut suivre ma Frédérique...

Dans l'ascenseur, je me poste à l'extrémité et me force à fixer le carrelage : la jeune femme nous observe encore. Quand les portes se referment, un poids énorme tombe de mes épaules. Frédérique m'enserre la taille et m'embrasse sur la joue.

– Ne t'inquiète pas, Léa.

– Je ne m'inquiète pas ! dis-je, en pensant le contraire.

– Oh oui, tu stresses, m'apprend-elle. Je le vois sur ton visage.

Je rougis. L'ascenseur vole. Elle caresse mon dos. Quand les portes s'ouvrent, une fois que nous arrivons à l'étage, j'ai le réflexe de m'éloigner du corps de mon amie et de lâcher sa main, de peur que quelqu'un nous voie, mais il n'y a personne dans le vestibule.

– Viens, fait Frédérique en m'entraînant avec elle.

En marchant sur le tapis, je tends l'oreille. Des rires fusent de partout. Notre chambre se situe à l'autre bout du couloir. Numéro 503. Frédérique glisse la clé magnétique dans la fente et la porte se déverrouille.

– Ferme les yeux.

Je m'exécute. Elle prend ma main et m'entraîne dans la pièce. Frédérique me dit d'ouvrir les yeux.

WOW !!! La chambre doit coûter les yeux de la tête ! Devant moi s'étend un salon bordé d'un bar et de deux tabourets. Sur le comptoir, une bouteille trempe dans un seau plein de glace. Un immense meuble en bois s'appuie contre un mur avec une télévision à l'intérieur. Les fauteuils à carreaux semblent moelleux. Quelle suite ! Mais où se situe la chambre ?

– Eh puis ?! s'exclame Frédérique.

– Tu n'étais pas obligée de...

– Je sais, Léa, mais j'ai envie d'être avec toi et de fêter. Je n'ai jamais eu la chance que tu as aujourd'hui, alors ça me fait plaisir.

Ses yeux brillent. De joie, de peine ? Peut-être les deux. Je me demande ce qui la trouble autant. En tout cas, je suis touchée par sa générosité.

– Es-tu allée à ton bal ?

– Non. On boit ! réplique-t-elle pour faire diversion.

Frédérique s'élance vers le bar. Je devrais apprendre à me mêler de mes affaires... Tout en me reprochant intérieurement ma curiosité, je m'assois sur un tabouret. Frédérique joue son rôle de serveuse à la perfection, le sourire fendu jusqu'aux oreilles.

– Regarde, Léa, ce champagne-là est un vrai délice... Si tu voyais les yeux que tu fais ! ricane-t-elle.

POP ! Le bouchon vole à travers la pièce et disparaît. Fred remplit à ras bord les deux verres qui attendent à côté du seau. J'entends la boisson jaunâtre pétiller.

– À ta santé ! scande-t-elle.

Elle lève son verre. Je prends le mien et imite son geste.

– À ta santé !

Le breuvage crépite sur ma langue. Le goût acerbe s'attarde dans ma gorge. C'est vraiment mauvais, mais je me force à mimer le ravissement.

– C'est spécial, hein ? me demande-t-elle.

– Oui, que je réponds en la regardant déguster son champagne.

– Veux-tu visiter ?

Frédérique s'appuie sur le comptoir en me posant la question. Cette fois-ci, son regard est plein d'excitation.

236

J'accepte, tout aussi intriguée. Verre en main, je sautille en la suivant.

Quelques secondes plus tard, elle pénètre dans une pièce derrière le bar. Je m'immobilise sur place en voyant un énorme bain à remous occuper le fond de la chambre. Le lit, SURDIMENSIONNÉ, est d'une blancheur parfaite. Dessus, des centaines de pétales de rose et deux robes de chambre nous attendent. A-t-elle réservé la suite nuptiale ?

Frédérique s'assoit sur le bord du matelas et me demande de la rejoindre en engloutissant le reste de son champagne. Mal à l'aise, je m'installe à côté d'elle, les jambes bien collées l'une contre l'autre. Que dire dans de telles circonstances ? Quand vous savez que vous êtes sur le point de franchir une étape importante de votre vie...

Frédérique dépose sa coupe transparente par terre et me caresse les cheveux. Son souffle chaud est contre mon oreille. Sa main, dans mes cheveux. Elle ronronne :

– Ce soir, c'est toi qui décides. Je veux juste être avec toi, te prouver que tu m'as manqué, que je regrette pour cette semaine.

Intriguée, je tourne mon visage vers elle, si près que je n'ai qu'à tendre mes lèvres pour qu'elles adhèrent aux siennes. J'en réprime l'envie aussitôt et l'interroge :

237

– Je ne comprends pas... je t'ai laissé une tonne de messages. Est-ce que j'ai fait quelque chose de mal ? C'est à cause de Monika ?

Impossible de garder cette question pour moi, elle me brûle la langue. Frédérique joue avec mes cheveux tout en scrutant les traits de mon visage.

– Un peu. Elle m'a demandé de travailler au bar toute la semaine.

– Je ne comprends pas. Tu aurais pu m'envoyer un texto.

– J'étais trop occupée pour te répondre. Mais je regrette.

Difficile de croire que l'on puisse être occupé à ce point... Et j'en veux à Monika de la faire travailler autant.

Mes yeux s'arrondissent. Monika est-elle son employeur ? Frédérique répond à ma question avant même que je la formule.

– Est-ce que je t'avais dit que je travaille pour Monika ?

– Non !

Frédérique masse mon cuir chevelu.

– Excuse-moi, j'ai fait une erreur en restant silencieuse. As-tu cru que je te rejetais ?

– Oui.

Cette fois-ci, elle m'embrasse tendrement.

– Excuse-moi, si tu savais à quel point je te veux dans ma vie !

Elle sourit. Contre toute attente, elle se met à genoux devant moi et dépose ses deux mains sur les miennes.

– Léa, aimerais-tu devenir ma copine officielle ?

Ouf !... Je recommence à respirer.

– Oui, que je lance en riant.

– Attends, je n'ai pas terminé ! Veux-tu me pardonner ?

– Oui !

Elle embrasse le dos de mes mains et ajoute :

– Je me verse du champagne. Cette nuit, on fête !

Sur ce, elle disparaît dans le salon.

Ça fait quinze minutes qu'elle est enfermée dans les toilettes. Je commence à m'inquiéter, elle a bu presque toute la bouteille de champagne. Soudain, la porte s'ouvre. Je retiens mon souffle. Elle porte des sous-vêtements rouges. Ses ongles de pieds sont vernis. Elle s'avance vers moi, confiante.

Ébahie, assise en indien au milieu du lit, je plisse les yeux. Sur le bas de son ventre, un minuscule tatouage jaune soleil brille : un petit tournesol. A-t-elle d'autres fleurs sur sa peau ? À quelques pas du lit, son regard enfiévré me saisit. Mon cœur bat à tout rompre et mes ongles se plantent dans mes genoux.

J'ignorais qu'elle prévoyait revêtir un déshabillé et s'offrir à mon regard. La peur m'envahit. LE moment imminent est enfin arrivé. Faire l'amour ! Mais je suis tellement inexpérimentée !

Frédérique me fait un sourire en coin, rassurante. Puis, elle marche à quatre pattes sur le lit. Elle est tout près. Son parfum floral m'enveloppe. Je l'adore... Sa petite culotte ne couvre qu'une partie de son derrière. Mes pupilles dilatées captent ses fesses rebondies, parfaites. Je suffoque, frissonne de plaisir et de nervosité.

« Tout va bien se passer, tout va bien se passer. » Je souris timidement en serrant mes genoux contre moi. Frédérique se redresse et déplace ses mains derrière son dos. Elle libère ses seins de son soutien-gorge.

Les siens sont un peu plus gros que les miens et ses mamelons, brun foncé, pointent dans ma direction. Un léger picotement me chatouille entre les jambes.

Frédérique lance sa lingerie au bout du lit et s'attaque à sa culotte, me laissant sans voix, les yeux exorbités. Elle glisse deux pouces sous son string et le descend doucement. Mon esprit s'étourdit. Elle dépose ses mains sur ses hanches. Je sais qu'elle veut que je la regarde, que je l'examine avant de la toucher.

Son pubis est étrangement rasé. En fait, elle n'a laissé qu'une ligne très mince de poils noirs. J'avale de travers. Que dira-t-elle quand elle s'apercevra que je suis aussi fournie qu'une forêt ! Je songe à ce qu'elle m'avait recommandé de faire la première fois que j'ai passé la nuit chez elle :

« Rase-toi complètement le pubis... »

J'aurais dû l'écouter ! Bof... Que peut-il m'arriver de mal ? Elle ne va pas s'enfuir en me découvrant, alors... je n'ai rien à craindre. À part ressentir un million de sensations de plaisir quand elle me touchera.

Sa respiration est rapide, ses cheveux collent à ses tempes. L'attente est insupportable ! Je suis trop curieuse et j'ai envie de sentir sa peau sur la mienne, sa douceur. Elle est là, à genoux, et me scrute sans un mot. Puis, elle se penche et détruit le mur invisible entre nous deux. Ses doigts glissent sur mes pieds. Ils effleurent mes tibias et trouvent mes mains repliées contre moi, qu'elle éloigne aussitôt de mon corps. Je les laisse tomber de chaque côté de mes hanches tremblantes.

Frédérique écarte mes jambes, que j'étends autour d'elle. Elle se lèche les lèvres en regardant les miennes et s'assoit sur moi, exposant ainsi sa poitrine devant mes yeux affamés. L'adrénaline court dans mes veines. J'ai envie d'ouvrir la bouche, de sortir ma langue et de la promener sur ses mamelons. Juste pour découvrir ce que ça procure comme sensation.

Frédérique pose ses mains sur mes épaules, les masse doucement. Je ferme les yeux, me détends en respirant profondément. Ses cheveux me chatouillent le visage. Son souffle s'approche du mien. Instinctivement, j'ouvre ma bouche pour accueillir la sienne et goûte le champagne sur sa langue avide. Puis, je perds la tête.

Je me rappellerai cette nuit toute ma vie. La peau parfumée de ma copine, ses baisers torrides, sa douceur, les frissons ressentis dans chaque parcelle de mon corps. Je suis lovée dans ses bras, sous les draps, et je la regarde dormir. Elle est belle...

Mes yeux s'emplissent de larmes, de bonheur. Suis-je amoureuse ? Je ne sais pas, mais je suis consciente que mes sentiments grandiront dans les jours à venir. Je ferme les yeux. Mes paupières, comme un écran, me renvoient les images de nos ébats. Mon corps brûle encore de désirs et d'envies...

Postface
De Line Chamberland
Ph.D. sociologie, UQAM

Le roman de Kim Messier raconte le cheminement d'une adolescente, Léa, qui découvre son attirance pour les filles, sa fuite intérieure devant une telle révélation, ses dilemmes vis-à-vis de son entourage – car elle se sent obligée de mentir, et encore mentir, à la fois à ses parents et à ses deux meilleurs amis, Ariane et Alexis, et est mal à l'aise de le faire. Ce récit vient à point nommé pour combler un vide dans la littérature s'adressant aux jeunes. Mais il fait bien plus. En effet, il inscrit sa trame dans un quotidien ordinaire (l'école, les examens à préparer, des parents aimants, un peu trop protecteurs, le bal de fin d'études...) qui aide à se reconnaître dans un tel parcours, à apprivoiser ce qui nous rend différents sans paniquer, sans s'insurger. Tout en n'occultant pas les difficultés que doit surmonter Léa, le roman ne verse pas dans la dramatisation à outrance, ni dans les tourments intérieurs. Léa n'est ni une victime ni une héroïne. La fin demeure ouverte et de bon augure.

« Je [Léa] revêts ma jupe, mon chemisier et pense à Frédérique. Une excitation se réveille au creux de mon ventre, se fraie un chemin dans mes mains tremblantes. » Une phrase qui eut paru éhontée il n'y a pas si longtemps, qui aurait été censurée il y a quelques décennies. On saura gré à l'auteure de poser d'emblée le désir d'une fille pour une autre fille, sans chercher à l'expliquer, de l'évoquer explicitement au fil du récit. Car les adolescentes ressentant une attirance pour d'autres filles ont longtemps été privées d'un tel imaginaire amoureux. Et elles le sont encore. Un récent article de la revue *Fugues* recensait les modèles de jeunes lesbiennes, gais et bisexuels, bisexuelles dans les séries télévisées : il dénombrait UNE ado lesbienne dans une galerie de douze personnages, une seule qui, tout en ne remettant pas en question sa sexualité, la dissimulait aux yeux des autres élèves en ayant une relation avec un gars. Quant aux films (comme *La naissance des pieuvres* de Céline Sciamma, 2007, France, et *Rebelles* de Léa Pool, 2001, Canada), ils se comptent sur les doigts d'une main et mettent souvent en scène le trouble amplifié de l'adolescence lorsque le désir mène en dehors des sentiers battus. Et l'inévitable solitude de se sentir différente des autres, si lourde à porter à cet âge.

L'écart entre les modèles d'homosexualité masculine et féminine se retrouve aussi dans les représentations publiques. Lorsque j'interroge mes étudiants, étudiantes universitaires, qui ont quitté l'adolescence il y a peu, sur les personnalités homosexuelles qu'ils connaissent, la liste des hommes dépasse largement celle des femmes et emprunte à diverses sphères (politique, littéraire, sportive, etc.). La plupart des femmes nommées sont issues de l'univers des vedettes de la télé, du cinéma et de la chanson des États-Unis. Ces dernières années, les figures féminines québécoises ont diminué. En outre, la proportion de femmes bisexuelles dépasse celle des lesbiennes – un phénomène que certains appellent l'hétéroflexibilité, comme si le désir lesbien n'était jamais qu'une incursion temporaire. Un passage, une toquade.

Pour qu'une chose existe, il faut la nommer, la rêver, l'imaginer. Alors que les interdits légaux condamnaient explicitement l'homosexualité masculine, que les stéréotypes ridiculisaient l'*efféminé* et faisaient craindre le *pervers*, ils en reconnaissaient l'existence. C'est d'abord le silence qui étouffait l'étincelle du désir lesbien. Une chape de plomb, comme me l'ont raconté des lesbiennes ayant survécu à l'obscurantisme sexuel des années 1950, qui faisait qu'on ne parvenait pas à déchiffrer la confusion des sentiments, à appeler « sexuel » ce désir patent envers l'aimée, à concevoir que l'on puisse être en amour avec une autre femme, encore moins que l'on puisse vivre une vie en aimant une autre femme. Ou plus d'une au cours d'une vie.

Certes la génération militante lesbienne féministe des années 1970 et 1980 a brisé ce silence en se créant des héroïnes hors du commun. Mais force est de constater que ce legs ne s'est pas transmis aux cohortes qui ont suivi. Avec la reconnaissance légale et sociale de la diversité des orientations sexuelles obtenue dans les dernières décennies, l'heure n'est plus aux ruptures radicales, du moins pour la majorité des jeunes lesbiennes qui cherchent plutôt à vivre leur sexualité dans l'ordinaire, dans la « normalité », à combiner l'affirmation franche, dans toutes les sphères sociales, d'une identité non conventionnelle – avec les risques que ce choix comporte encore – et la dédramatisation de cette différence. C'est d'ailleurs la capacité d'incarner cet idéal qui fait la force des nouvelles héroïnes, par exemple celles issues de la populaire série *The L Word*, selon des témoignages recueillis auprès de jeunes adultes de 18 à 30 ans s'identifiant comme lesbiennes ou bisexuelles. « Parce qu'elle [en référence au personnage de Beth] m'a aidée à affirmer mon identité lesbienne en normalisant mes désirs. Elle m'a apporté l'image d'un modèle, d'une personnalité lesbienne forte qui mène une vie affichée », rapporte l'une d'elles. Si les personnages de cette série offrent des modèles d'identification sur le plan du cheminement personnel, elles inspirent également par leur capacité à surmonter les obstacles découlant de l'homophobie quotidienne, à concilier l'affirmation de soi et l'acceptation sociale en tant que lesbienne. Bref, elles sont bien dans leur peau et peuvent aspirer au bonheur.

De même, le récit du parcours initiatique de Léa, une adolescente bien ordinaire qui admet progressivement la différence de son désir et parvient à l'assumer à l'aube du passage à l'âge adulte, crée un univers référentiel à la fois rassurant et inspirant pour les jeunes filles qui s'interrogent sur leur orientation sexuelle, mais aussi pour les jeunes gais et bisexuels, bisexuelles, pour leurs amis et amies, les membres de leur famille, les enseignantes et les enseignants, les intervenants jeunesse, bref pour tous ceux et celles qui les côtoient. Car exister pour soi, c'est aussi, voire d'abord, exister aux yeux des autres. S'accepter simplement, parce que les autres nous voient et nous acceptent, tout simplement.

Ressources au Québec

Jeunesse J'écoute
1 800 668-6868
www.jeunessejecoute.ca

Tel-Jeunes
1 800 263-2266
www.teljeunes.com

Gai Écoute
Montréal : 514 866-0103
Ailleurs au Québec : 1 888 505-1010
www.gaiecoute.org

Centre de prévention du suicide
1 866 277-3553
www.cpsquebec.ca

AlterHéros
www.alterheros.com

Fondation Émergence
www.fondationemergence.org

masexualité.ca
www.masexualite.ca

GRIS-Montréal
514 590-0016
www.gris.ca

Jeunesse Lambda
www.jeunesselambda.org

Projet 10
514 989-4585
http://p10.qc.ca

Ressources en France

Contact
08 05 69 64 64
www.asso-contact.org

Association des Parents et futurs parents Gays et Lesbiens
www.apgl.fr

L'Inter-LGBT (Marche des Fiertés de Paris)
www.inter-lgbt.org

Le Refuge (ligne d'écoute contre l'isolement des jeunes)
06 31 59 69 50
www.le-refuge.org

Ligne Azur (ligne d'écoute)
08 01 20 30 40
www.ligneazur.org

SOS Homophobie (ligne d'écoute)
01 48 06 42 41
www.sos-homophobie.org

Fil santé jeunes (questions relatives à la sexualité)
08 00 23 52 36
www.filsantejeunes.com

MAG jeunes LGBT (jeunes gais, lesbiennes, bi et trans âgés entre 15-26 ans)
www.mag-paris.fr

Ex-æquo (infos pour les jeunes se questionnant sur leur orientation sexuelle)
http://jeunexaequo.be

Note à l'intention
du personnel enseignant

———

Pour des fiches d'exploitation pédagogique faites sur mesure, veuillez contacter l'auteure.

Pour le cours : français, langue d'enseignement
Pour le cours : éthique et culture religieuse
Pour tout autre cours...

kimmessierauteure@yahoo.ca

Le carnet de Grauku

―――

Si tout a dérapé, c'est seulement parce que je n'en pouvais plus de voir la photo de mon cul partout... C'est déjà si dur d'avoir à le traîner ! Je sais, je sais... Je ne devrais pas utiliser le mot « cul ». Ce n'est pas un mot très « littéraire »...

Mais ce qui suit n'est pas une histoire gentille. Quand une gang de filles vraiment pestes ont photographié mes fesses à la piscine et ont fait circuler la photo de cellulaire en cellulaire, j'ai réagi comme d'habitude : je me suis bourrée de chocolat et je me suis défoulée sur mon blogue. Puis cette fille, « Kilodrame », m'a laissé un message. Elle avait un moyen de me libérer complètement de mes problèmes de poids et de mes obsessions de bouffe. Une idée de carnet...

Oui, j'ai maigri. Oui, j'ai enfin découvert la vie. Mais pas celle que j'imaginais...

Si vous voulez des beaux mots, gentils et propres, il faut choisir un autre livre. Lire le trépidant quotidien de Lisa, la belle Lisa, la mince Lisa. Ou de sa copine Justine, si jolie et si fine. Et me laisser, avec mes kilos en trop et mes bourrelets, en marge de la page. Moi, c'est une histoire de cul que j'ai à raconter. Mais pas celle à laquelle vous vous attendez !

*Un roman formidable qui n'a pas peur d'appeler un chat un chat, qui capte notre attention dès les premiers mots pour ne pas la relâcher avant la dernière page. Beaucoup d'humour et d'ironie, mais surtout, l'absence de clichés malgré la gravité des sujets évoqués : les **troubles alimentaires**.*

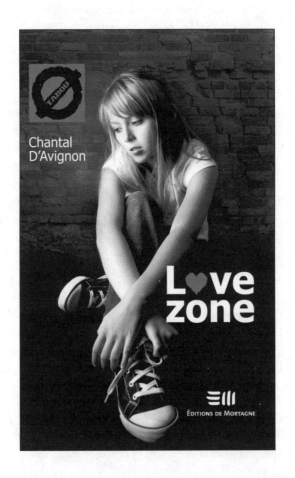

L♥ve zone

Marie-Michelle (Mich pour les intimes ☺) a 15 ans. Elle désespère de se faire un chum comme ses deux meilleures amies, Josiane et Marie-Ève, qui lui consacrent de moins en moins de temps pour cause de bécotage continuel... Jusqu'à ce que Mich rencontre Lenny, pour qui elle craque. Elle fera enfin la découverte de la complicité amoureuse, mais aussi, bien malgré elle, de la jalousie masculine... Il y a aussi Pierre-Olivier, un gars si doux, si attentionné, avec lequel elle se sent siiiii bien...

Qui a dit que l'amour était compliqué ? Une chose est certaine, cette personne avait VRAIMENT raison ! Et pourquoi faut-il toujours que nos parents ne nous fassent pas confiance et nous traitent encore comme des enfants ? Pfff...

Pas facile de gérer amours, famille, amis et études ! Voilà le dur constat que fera Marie-Michelle à l'aube de sa cinquième année du secondaire. Heureusement, à travers tous les tracas, il y a l'amour, le vrai, celui qu'on voudrait voir durer encore et toujours et qui nous donne des frissons dans tout le corps.

Alors, oserez-vous franchir vous aussi la Love zone, celle dans laquelle on est parfois plongé après un seul regard ?

Une histoire tout en simplicité, à laquelle nombre d'adolescentes sauront s'identifier. **Premières relations amoureuses** *riment avec naïveté, questionnements, conflits, mais aussi avec purs moments de bonheur... À vivre pleinement !*

Ailleurs

On m'a demandé de raconter mon histoire... Mais comment faire sans raconter la leur, celle de toutes ces voix que j'entends constamment ? Certains disent que je suis malade, que je souffre de schizophrénie. Moi, tout ce que je sais, c'est qu'à quinze ans, ma vie a basculé lorsqu'elles sont entrées dans ma tête et qu'elles ont commencé à m'humilier, à me blesser au plus profond de mon âme...

J'ai tout essayé pour les faire taire, les réduire au silence et me retrouver seule, enfin. Prières, jeûne, médicaments, alcool, drogues... Mais on ne vient pas si facilement à bout de la Grande Gueule et de sa hargne. J'ai voulu lutter, par tous les moyens possibles, mais c'est à ce moment qu'a commencé ma longue descente aux enfers.

Mon combat peut avoir deux issues : la mort ou... ailleurs.

*Brillante, talentueuse, hypersensible, Rubby veut simplement vivre. Vivre comme tout le monde, comme avant... Un roman coup de poing sur l'enfer de la **schizophrénie** qui ne laissera personne indifférent.*

Le choix de Savannah

Je fondais tant d'espérances dans l'année de mes quinze ans... Je m'imaginais enfin rencontrer le grand amour, ressentir les petits papillons et tout le tralala. Pourtant, jamais je n'aurais pu imaginer l'enchaînement d'événements qui m'a amenée à faire le vide... en moi.

Christophe, le « roi de la drague », qui m'a envoûtée d'un simple regard, si profond que j'ai été engloutie. Mes amies, mes vraies complices avec qui je partage tout. Ma mère, qui ne me comprenait pas, qui me surprotégeait, surveillait mes moindres gestes. Ce que j'ai pu la détester !

J'ai tant cherché la liberté, la sensation d'enfin vivre MA vie, à MA façon, même si ça ne faisait qu'enrager encore plus ma mère...

Et puis la trahison, la peine, l'incompréhension. J'aurais voulu hurler ma douleur à la Terre entière. Mais voilà que la vie en a décidé autrement : je devais mettre ma peine de côté et faire un choix... Un choix si important qu'il déterminerait chaque minute de mon existence... et de la sienne.

*Sophie Girard, travailleuse sociale, propose ici un roman d'une grande sensibilité, dans lequel elle aborde avec beaucoup de finesse certains des enjeux les plus préoccupants de l'adolescence : relations amoureuses, **grossesse non planifiée et avortement**.*

L'amour à mort

« Le sida, c'est pour les gays ou les drogués ! Pas pour les Juliette de seize ans qui ne se droguent pas, qui viennent de découvrir l'amour et qui ont toute la vie devant elles ! » C'est ce qu'a toujours cru Juliette... jusqu'au jour où un médecin lui annonce qu'elle est atteinte du VIH.

La dure réalité la frappe de plein fouet : sa première nuit d'amour, cette nuit qu'elle souhaitait parfaite, s'est transformée en véritable cauchemar. Et ses rêves d'adolescente ? Ils ne sont plus qu'un lointain souvenir...

Sans parler de la réaction de son entourage ! Comment annoncer à ses parents et ses amis qu'on est condamnée à mourir ?

La rage, la honte, la peur et un profond désir de vengeance envers ce garçon qui devait l'aimer, la protéger, mais qui n'a su que détruire sa vie... Toute une gamme d'émotions avec lesquelles Juliette doit désormais composer. Réussira-t-elle à apprendre à vivre avec cette bête qui hante dorénavant chaque cellule de son corps ?

*Juliette vivait comme tous les autres jeunes de son âge : dans l'insouciance et habitée d'un puissant sentiment d'invulnérabilité. Et pourtant... le **sida** est venu briser son armure. L'adolescente livre ici un témoignage fidèle à son image : sincère, qui respire la joie de vivre et le refus de baisser les bras.*

Dernière station

Mes genoux se plient pour le grand saut. C'est ainsi que j'ai décidé de terminer mon histoire, ma vie. Dans un beau et très grand saut.

Depuis la mort de son père, son seul confident, Marie-Ève a la rage de vivre mais le cœur rempli de chagrin. Sa famille, ses amis, ses amours ne sont que déception. Sa mère ? Elle fait vivre un cauchemar quotidien à Marie-Ève. Son chum Simon ? Il ne peut pas comprendre son besoin de fuir... Fuir très loin du nid familial qui n'a plus rien de douillet ni de sécurisant. Elle est mal comprise et mal aimée de tous...

Après une première tentative de suicide à quinze ans, l'adolescente décide d'en finir une fois pour toutes avec sa souffrance. Elle n'en peut tout simplement plus de cette vie, elle est épuisée. Se jeter devant le métro lui semble être l'ultime solution à tous ses problèmes.

À son réveil, le choc est immense et les séquelles de son geste, inévitables. Mais, plus encore que les marques permanentes laissées sur son corps, Marie-Ève accepte le pari de vivre, pleinement, comme jamais auparavant.

*L'histoire de cette adolescente en mal de vivre respire l'urgence : l'urgence de s'accrocher au bonheur et de se libérer d'une révolte intérieure trop longtemps étouffée. Le **suicide** y est abordé sans détours, mais aussi avec beaucoup d'espoir et de courage.*

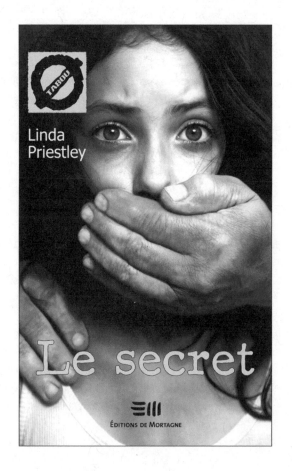

Le secret

Aube aime son père. De tout son cœur. Il est le soleil de sa vie, son prince charmant, le gardien de ses rêves et de ses cauchemars.

Son père aime sa petite princesse. De tout son corps. Elle est l'inspiration de ses jeux interdits, son unique obsession, son pantin.

Ensemble, ils filent le parfait bonheur. Jusqu'au jour où il lui prend ce qui lui restait d'enfance et d'innocence. Aube commence alors à s'éteindre pour ne reprendre vie que bien des années plus tard, peu avant son dix-huitième anniversaire, dans un bureau du directeur de la protection de la jeunesse.

L'expérience d'Aube ressemble malheureusement à celle de nombreux autres filles et garçons... mais elle a ceci de spécial : Aube a choisi de briser le silence. Dans ce roman, l'inceste est abordé sans tabous afin de lever le voile sur un sujet dont les victimes craignent de parler et sur lequel leur entourage ferme trop souvent les yeux.

L'emprise

Trois meilleures amies qui découvrent l'amour.

Trois expériences totalement différentes, à travers lesquelles les jeunes filles apprendront que l'amour peut donner des ailes, mais aussi les couper.

Heureusement, entre amies, on peut tout se dire ! Enfin... c'est ce que Mathilde croyait avant sa rencontre avec Simon. Au début, tout était parfait entre eux, mais avec le temps, ce garçon qu'elle pensait être LE bon a commencé à exercer son emprise sur elle.

Quand l'amour devient une prison et que les paroles qui devraient être douces se transforment sournoisement en coups de poing au cœur, on ne sait plus à qui faire confiance. On ne veut rien voir, rien entendre. On préfère fermer les yeux. Et quand on devient soi-même la personne dont on se méfie le plus, on choisit de garder le silence. C'est ce que Mathilde a fait. Sauf qu'en gardant le silence, on peut perdre la voix et parfois même... la vie.

*Une histoire d'amour ne devrait jamais être teintée de reproches, minée par une jalousie maladive ou ravagée par des paroles blessantes. Encore moins si cette histoire d'amour écorche au passage notre confiance et notre estime de soi. La relation entre Simon et Mathilde semble parfaite, mais sous les apparences se cache une **violence psychologique** qui détruit l'adolescente à petit feu.*

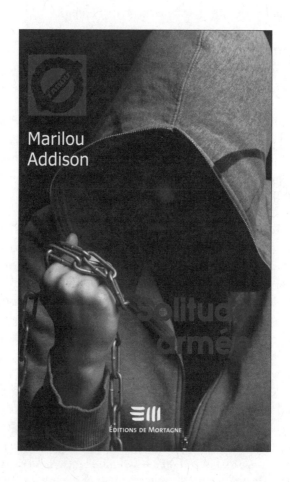

Solitude armée

Comment aimer l'école, lorsque tout ce qu'on y vit, c'est l'humiliation et la violence ? Comment croire que l'avenir sera plus rose, quand on ne sait même pas si on va passer à travers sa journée ? Mais, surtout, comment avoir encore des rêves, quand ceux-ci sont balayés à grands coups de poing et de pied ?

Justin ne sait pas comment s'en sortir. La seule solution qu'il trouve est dans la révolte et la riposte. Quand on a seize ans, qu'on se croit différent et que, en plus, personne ne nous comprend, quel espoir nous reste-t-il ? Malgré la venue de l'amour dans sa vie, et le bien-être qu'il en retire, Justin parviendra-t-il à se détourner de son destin funeste ?

À moins que son besoin de vengeance ne soit plus fort que tout...

En compagnie d'une poignée de jeunes qui vivent les mêmes épreuves que lui, Justin fera partie d'un plan d'une rare brutalité, dont il ne soupçonne pas encore la gravité des conséquences...

*L'histoire de Justin touche un sujet qui fait de plus en plus souvent les manchettes, malheureusement : la **violence à l'école**. Sous toutes ses formes. Même les plus extrêmes. C'est un récit qui vous marquera à jamais...*

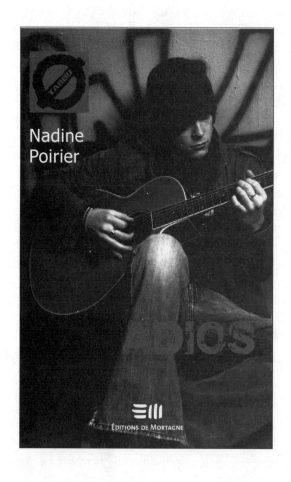

Adios

Je m'appelle Sam. J'ai 18 ans. Je suis nul. Pour le moment, c'est tout ce que je sais de moi. Et c'est assez difficile à avaler...

Je viens de doubler mon secondaire 5. Avec brio ! En fait, ce que je réussis le mieux, c'est « pocher » mes examens. En restant 100 % dans la lune (ça me ferait au moins un 100 dans mon bulletin !) et en n'étudiant pas, je me suis mérité un an de plus en enfer.

J'en peux plus qu'on me demande ce que je veux faire de ma vie ! Je n'en ai pas la moindre idée. J'en ai marre d'y réfléchir. À la limite, je m'en fiche. Je veux seulement lâcher l'école, sans décevoir ma blonde et ma famille. En même temps, j'ai peur de faire la gaffe de ma vie.

J'ai juste envie d'aller voir ailleurs si j'y suis. Ouais, c'est ça, j'me pousse ! Non. Ce serait carrément fou. Oh, et puis, tant pis. Qu'est-ce que je risque au fond ? Ici, c'est le vide, le néant. Ailleurs, j'arriverai peut-être à me trouver.

*Tous les adolescents ne font pas leur entrée au secondaire avec les mêmes chances de réussite, mais la décision d'abandonner l'école est le résultat d'un cumul de situations complexes. Comme pour trop de garçons de son âge, le **décrochage scolaire** semblait être la seule solution aux yeux de Sam. Pour trouver sa voie, le chemin peut être ardu, mais pas sans issue...*

Hey, toi ! Tu aimes la collection Tabou ?

Certains sujets sur lesquels
tu adorerais lire n'y sont pas encore ?

Écris-nous pour
nous soumettre tes idées !

On veut savoir ce qui t'intéresse,
les thèmes qui t'interpellent,
afin de rendre la collection Tabou
à TON image.

info@editionsdemortagne.com

Marquis imprimeur inc.

Québec, Canada
2012

100 %

Imprimé sur du papier 100 % recyclé